LES ÉNERGIES

OASIS

10

channelé par
JRobert

Couverture : Pierre Desbiens, Desgraphes

10-Les énergies

http://www.site-oasis.net

C.P. 48727, CSP Outremont
Montréal (Québec) Canada H2V 4T3
Téléphone : (514) 276-8855 Télécopie : (514) 276-1618
editeur@editionsberger.qc.ca • http://www.editionsberger.qc.ca

Dépôts légaux : 2e trimestre 2001
Bibliothèque nationale du Québec
Bibliothèque nationale du Canada

ISBN 2-921416-33-6

Distribution au Canada : Flammarion
(Socadis) 350, boul. Lebeau, Saint-Laurent (Québec)
Canada H4N 1W6 Téléphone : 514-331-3300
Télécopie : 514-745-3282 Sans frais : 800-361-2847

Distribution en France : D.G. Diffusion
Rue Max Planck, C.P. 734, 31683 Labège Cedex France
Téléphone : 05-61-62-70-62 Télécopie : 05-61-62-95-53

Imprimé au Canada
1 2 3 4 5 IT 2005 2004 2003 2002 2001

À propos d'Oasis

Oasis est le nom collectif donné aux quatre Cellules qui parlent à travers JRobert. Ces quatre unités d'énergie sont les porte-parole de milliards d'autres qui forment, contrôlent et édictent les lois qui régissent l'Univers. Elles se désignent elles-mêmes du terme Cellule pour faire comprendre que leur rôle et leur fonctionnement dans l'Univers est à l'image des cellules du corps humain, et pour nous rendre conscients que l'univers extérieur est comme notre univers intérieur.

L'origine du nom

Dans leur dimension, les Cellules ne portent pas de nom. Aussi ont-elles proposé au premier groupe à paraître devant elles de leur choisir un nom correspondant à l'état d'être qu'il ressentait en leur présence. C'est ainsi que le nom Oasis fut choisi. JRobert en fit une illustration qui devint l'emblème de ses activités et de la collection de livres.

L'emblème

L'emblème d'Oasis joue un rôle important. À travers lui, il est possible de contacter les Cellules :

> « Nous vous avons dit de demander lorsque vous aurez besoin de nous. Nous vous avons même dit comment vous y prendre. Si vous ne pouvez percevoir nos énergies, vous n'avez qu'à imaginer l'emblème et vous aurez perception de nous. Nous

comprenons l'association et nous entendrons. Oh, direz-vous, vous êtes quatre : qu'arrivera-t-il s'il y avait 200 personnes qui visualisaient simultanément votre emblème ? Ne vous en faites surtout pas pour cela car, en fait, nous ne faisons qu'un, donc vous aurez tout de même ce que vous aurez demandé. Faites l'essai, vous verrez... » – Oasis (*août 1990*)

La mission

« Vous dérangez ». Ces simples mots résument pourquoi les Cellules ont choisi d'intervenir sur notre planète. Nous dérangeons les autres mondes auxquels nous sommes interreliés, que nous en soyons conscients ou non.

Leur espoir, c'est que nous acceptions de changer individuellement pour que notre profond goût de vivre rayonne et se propage autour de nous. Leur espoir, c'est aussi que nous soyons toujours plus nombreux à réussir la fusion de notre Âme et de notre forme afin de rétablir l'équilibre de notre planète et de l'Univers.

Par leurs paroles et par leur présence à travers l'emblème, les Cellules nous apportent un véritable soutien afin que nous apprenions à renaître et à donner du sens à nos vies.

Le channel

J Robert est le pseudonyme du channel à travers qui, depuis 1981, parlent les quatre Cellules surnommées Oasis. Les messages reçus durant les transes sont publiés dans les *Entretiens avec*

Oasis. La collection Oasis, c'est donc d'abord cette œuvre encore en devenir, mais c'est aussi l'ensemble des travaux du channel à l'état d'éveil.

Médium malgré lui

J Robert est né le 25 juillet 1950 dans une famille catholique de Montréal, au Québec. Rien dans sa vie ne semblait le destiner à la tâche qu'il accomplit auprès d'Oasis depuis septembre 1981. Comme il se plaît à le raconter aux gens qui le rencontrent pour la première fois, lorsqu'il était enfant, il aimait jouer des tours et on avait bien du mal à le punir parce qu'il riait tout le temps. Sauf pour l'habitude qu'il avait de réciter répétitivement son chapelet et qu'il assimile maintenant à des exercices de concentration, rien ne le préparait spécifiquement à être channeler. À l'école, il obtenait tout juste les notes de passage et il ne s'en souciait pas vraiment. Il a travaillé pendant trois ans dans l'entreprise familiale, pour ensuite devenir tour à tour policier [gendarme], programmeur-analyste et chef d'entreprise.

Les premières manifestations de médiumnité dont il a été l'objet ont été fortuites. Ce sont les gens présents qui l'ont informé de ce qui venait d'arriver. Il refusa catégoriquement le phénomène pendant près de deux ans. Au prix de vomissements et de maux de tête récurrents, il a tout tenté pour faire cesser ces manifestations : hypnose, acupuncture, médication. Puis graduellement, on lui amena des gens en difficulté, qui cherchaient désespérément des réponses à leurs souffrances et à leurs interrogations, et il accepta de les aider. Pendant quelques années, il cumula donc les transes privées et son travail, qui consistait à monter des commerces clés en main. Cette situation s'avéra extrêmement exigeante sur le plan physique et il dut souvent se raccrocher à la phrase que sa mère lui répétait tout au long de son enfance : « Si tu fais du bien à une personne au moins une fois dans ta vie, ta vie n'aura pas été inutile ». Enfin, épuisé, il choisit en 1989 de se consacrer exclusivement au travail de channeling et d'organiser des sessions de groupes où les questions seraient d'intérêt collectif.

Simplicité et liberté

Une grande liberté marque tous les aspects de l'intervention d'Oasis. Il n'y a ni publicité pour les activités, ni cotisation, ni carte de membre, ni obligation, ni suivi de ceux qui choisissent de se retirer. Jamais JRobert n'a toléré qu'on promouvoie le culte de sa personne. Au contraire, il se refuse à jouer un rôle ; le seul terme « gourou » le fait frémir. Peu à peu, il paraît évident que cette simplicité est elle-même garante non seulement de l'absence d'emprise du médium sur les gens mais aussi de la qualité de la transmission, donc des messages :

> « Nous dédions ce livre à une forme [JRobert] qui, au delà des apparences et des critiques, a su rester elle-même. Elle a su rester plus enfant que la réalité, ce qui lui aura permis de vivre des expériences bien au delà de ce qui était permis dans le passé. Nous la remercions aussi pour cette sincérité qu'elle a eue de ne pas jouer de rôle et de rester elle-même.

> Encore une fois, l'authenticité de nos propos n'aurait certainement pas été aussi possible si nous n'avions pas eu cette forme ». – Oasis (*tome III*)

L'entourage de JRobert partage la même simplicité et le même respect de la liberté individuelle. Jamais Françoise, la personne de confiance qui l'accompagne durant les transes depuis les tout débuts, n'oblige qui que ce soit à participer à quoi que ce soit. Jamais Maryvonne et Eugène, un couple de Bretons venus vivre au Québec dans les années 1950, n'ont réclamé quoi que ce soit pour leur soutien indéfectible et bénévole. Partout, toujours, des gens qui participent de leur plein gré et que l'on encourage à cheminer selon leur rythme et leur compréhension.

Les activités

Bien que JRobert ait commencé par mettre au service d'individus et de groupes sa capacité à transmettre les messages des Cellules, son travail ne se limite pas à dormir pendant qu'Oasis répond aux questions, même s'il se plaît à comparer son travail à celui d'un conducteur de taxi.

Pendant près de vingt ans, il est incapable d'écouter les enregistrements des sessions ni même d'en lire les transcriptions. Pourtant, il ne cesse d'approfondir par lui-même ses compréhensions et de développer de nouvelles manières de nous faire comprendre notre seule vraie raison de vivre : notre continuité dans le monde parallèle après la vie physique. Ses recherches personnelles ont donné lieu à une série d'ateliers, de conférences et de week-ends de formation destinés à nous donner le goût de cette continuité et les moyens de la réaliser.

La démarche complète avec Oasis comprend quatre parcours successifs :

- trois sessions suivies d'un week-end,
- trois ateliers intitulés « Pas de plus »,
- un week-end dit des anciens,
- un voyage de groupe en France.

Il n'est pas obligatoire de terminer un parcours, sauf si l'on désire entreprendre le suivant.

Les sessions

Les sessions sont des transes pendant lesquelles les gens peuvent poser à Oasis toutes les questions qu'ils désirent, à condition qu'elles soient d'intérêt collectif et non de nature personnelle. Entre les sessions, on fait parvenir aux participants une transcription grâce à laquelle ils peuvent approfondir les messages reçus et préparer leurs questions pour la session suivante. Le week-end qui couronne les sessions est conçu pour que chacun puisse prendre contact avec la réalité de son Âme et la percevoir.

Comme aucune publicité n'est faite pour les activités de JRobert, quelles qu'elles soient, les gens s'inscrivent aux sessions après avoir entendu parler d'Oasis par quelqu'un de leur entourage ou après avoir lu les livres et contacté la maison d'édition.

Les sessions sont précédées d'une rencontre où JRobert parle de son itinéraire personnel, de lui-même et de son travail de channeling. Élisabeth, une femme d'une grande expérience en milieu scolaire et membre de l'équipe d'Oasis, anime ensuite la soirée de manière à ce qu'au terme de cette première rencontre, le groupe se donne un nom représentatif de sa recherche intérieure ou de sa personnalité.

Les ateliers

Les ateliers animés par JRobert comprennent des explications, des démonstrations et des exercices pour apprendre à se prendre en main, à se protéger des influences extérieures, à se reconnaître et à se reprogrammer. Résultat de recherches nombreuses, les ateliers sont fondés sur des connaissances relevant de la psychologie, de la neurolinguistique et de l'électromagnétisme; ils incluent aussi des exercices de reprogrammation créés par JRobert. L'ensemble des ateliers forme une interprétation éclairante de la réalité humaine et une méthode de transformation originale basée sur la consultation de soi.

Les week-ends des anciens

Il est bien difficile de décrire les week-ends des anciens, dont le premier a eu lieu en mai 1994. Les approches inédites de JRobert, les perceptions développées, les ressentis qui y sont vécus et partagés sont aussi peu traduisibles que ne le sont les couleurs à un aveugle. Qu'il suffise de dire qu'ils conduisent à la perception et à l'utilisation de notre champ énergétique personnel dans ses liens avec les univers parallèles.

Les voyages de groupe

En 1993, guidé par Oasis, JRobert se sent de plus en plus attiré par la France. En Europe, la relation avec la mort est différente de celle qui est vécue en Amérique. En Amérique, l'oubli sert à exorciser le deuil, alors que les Européens entretiennent les sites funéraires de leurs proches et leur rendent régulièrement visite. Il est donc possible d'y rencontrer des Entités ayant complété leur cycle d'incarnations – donc qui ont fusionné l'énergie de leur Âme et de leur forme – et qui viennent voir les membres de leur famille dans l'espoir de leur faire percevoir leur présence et de les convaincre de la continuité de la vie après la mort.

C'est ainsi que JRobert est amené à contacter des personnages qui ont réussi leur continuité ; plusieurs ont été ou sont encore célèbres, mais la plupart ne sont pas nécessairement connus. Ces Entités fusionnées contribuent à lui faire vivre la dimension du parallèle et à lui faire comprendre comment s'y prendre pour nous montrer à réussir notre continuité à notre tour.

Il lui paraît bientôt indispensable de nous faire vivre le contact avec le monde parallèle pour nous le faire comprendre, car aucune parole n'arrive à rendre compte de cette réalité. À l'été 1995, il organise donc un premier voyage en France avec un petit groupe. Il constate l'efficacité de cette approche, mais aussi que certains se mettent à avoir peur de ne pas réussir leur continuité. Il choisit alors de concentrer tous ses efforts sur l'élaboration d'une réponse plus complète, plus rassurante et plus rapide. En 1998, JRobert expérimente et développe un système de concepts novateurs, pour ne pas dire révolutionnaires, qui illustrent pour la première fois les relations entre l'énergie du corps et le monde parallèle. Les résultats sont probants. Chaque été depuis 1998, il démontre et partage ces nouveautés lors d'autres voyages.

Le message avant la personne

Signalons qu'Oasis a demandé que la photo du channel ne soit utilisée ni sur les livres ni dans la promotion. Cette demande fait écho à la règle qui a dirigé la vie et l'œuvre de JRobert: « Que ce soit les messages à travers moi et non moi à travers les messages ».

Peu d'hommes auront eu le courage de renoncer aux choses visibles pour se lancer aussi passionnément dans l'aventure de l'invisible sans jamais chercher de reconnaissance.

La collection Oasis

La collection Oasis comprend d'abord l'oeuvre des Cellules appelées Oasis : les *Entretiens avec Oasis*. Il s'agit d'une collection de tomes volumineux regroupant les réponses données par Oasis à des gens venus de partout, du Québec, du Canada, de la France, et comprenant un index cumulatif donnant accès aux milliers de sujets traités.

Vient ensuite l'oeuvre de JRobert qui constitue en quelque sorte l'interface pratique des messages d'Oasis. La *Méthode de consultation de soi-même* présente sous forme de guide le contenu des trois ateliers « Pas de plus ». Le livre *La seconde naissance, une raison de vivre* regroupe les concepts développés par le channel depuis 1998, les conférences données en préparation aux voyages de groupe en France et lors de ces voyages.

S'ajoutent enfin des cartes réunissant les pensées de JRobert. Elles permettent de faire résonner au quotidien des affirmations qui prennent graduellement place en nous et nous reprogramment vers plus de légèreté, plus de compréhension et plus de joie de vivre.

L'oeuvre d'Oasis

Les *Entretiens avec Oasis* sont formés uniquement des messages donnés par Oasis depuis 1989. La structure des tomes a été définie par les Cellules elles-mêmes lors d'une transe privée portant spécifiquement sur les publications. Leurs directives touchaient notamment l'organisation des quatre premiers tomes, la présence d'une session générale des groupes à la fin de chacun des tomes et l'ordre des sujets selon leur degré de sensibilité pour nos sociétés.

En juin 2000, Oasis a autorisé la publication en livres de poche des thèmes de cette version originale. Une fois achevée, cette série comprendra près de 80 titres.

L'oeuvre de JRobert

L'oeuvre de JRobert s'est construite petit à petit à partir d'une expérimentation systématique de concepts et d'exercices nouveaux avec des gens de toute provenance qui participent aux ateliers, aux week-ends des anciens et aux voyages de groupe.

Chaque fois, JRobert remettait aux participants des notes ou des livrets exposant les étapes de la démarche, les pensées et les exercices qu'il avait conçus. Les explications qu'il donnait aux divers groupes s'adaptaient toujours aux préoccupations et aux questions des participants. Toutes ces explications étaient notées ou enregistrées, si bien que les livres *Méthode de consultation de soi-même* et *La seconde naissance, une raison de vivre* constituent la somme originale de toutes les variations dans la manière qu'avait JRobert d'expliquer la matière et de tous les enrichissements qu'il a apportés à son approche au fil des années.

Les énergies

Comment fait-on pour sentir notre niveau d'énergie ?

Le mot énergie est employé pour beaucoup trop de choses différentes. Si vous parlez de l'énergie qu'il y a en vous, référez-vous à l'énergie vitale de la forme ou à l'énergie de votre Âme ?

Comment fait-on la distinction entre les deux ?

L'énergie de votre Âme vous donnera un sentiment très défini puisque votre Âme est une énergie localisable qui peut penser, qui peut transmettre des idées, qui peut vous aider. L'énergie de votre forme provient surtout de votre cerveau et est dirigée vers l'ensemble de vos cellules. C'est de là que provient votre problème de compréhension. L'énergie de vos cellules est une, malgré les milliards de cellules. Il n'y a qu'une seule force d'énergie entre elles, un seul contact et c'est votre cerveau qui régit tout cela. Mais il y a aussi certaines rébellions d'énergie qui ne sont pas communiquées à votre cerveau. Nous vous avons dit que vos cellules étaient indépendantes et qu'elles étaient toutes reliées. Imaginez que vous êtes tous des cellules d'une forme et que vous confiez tous les jours à quelqu'un vos sentiments, vos craintes et vos problèmes – nous ne souhaitons cela à personne, bien sûr. Imaginez que tout va bien, que cette personne vous conseille bien et que tout cela fonctionne. Puis, imaginez qu'un jour, les pensées de la forme ou que la personne vous donne ne conviennent pas à l'une d'entre vous alors que la forme est occupée avec les autres. La cellule que vous êtes vibre alors différemment puis fait vibrer différemment les cellules qui sont à ses côtés. Le cerveau ne comprend pas toujours cela. Ce qu'il faut que vous compreniez, c'est qu'il n'y a qu'une seule énergie en vous, qui est égale dans votre forme. Lorsque nous avons mentionné que vous pouviez aider vos formes en rétablissant l'énergie, nous avons toujours dit qu'il fallait imaginer l'ensemble et équilibrer vos cellules de façon unique. Cela n'a rien à voir avec votre Âme; vous ne pourrez jamais la rééquilibrer. C'est l'énergie la plus stable en vous. C'est aussi la plus difficile à percevoir, mais elle est très présente en vous. Pour la percevoir, il faut pouvoir faire le vide de ce que vous êtes réellement. Il faut pouvoir avoir l'imagination pour mettre votre forme de côté afin de percevoir quelque chose de plus puissant que tout cela. Cela ne s'explique pas bien avec des mots. Encore une fois, juste pour vous faire comprendre... Toutes les Cellules présentes sont très calmes, simplement parce que cette période leur est très importante pour savoir comment se faire mieux comprendre dans les autres formes. Il n'y a pas une seule personne ici ce soir qui n'ait pas un nombre d'Entités considérable qui l'observent, elle et son Âme. Les Entités n'ont pas d'yeux, rappelez-vous, elles sont dans vos formes, dans votre matière. Elles n'en prendront pas possession, n'ayez crainte; ce serait du cinéma. Cette question rejoint la question sur la prière, sur la croyance en tout cela. Si vous voulez réellement percevoir votre Âme, convainquez-vous que vous pouvez le faire, même si pour cela vous devez tricher, faites-le. De toute façon, votre cerveau trichera et vous fera croire le contraire. Plus vous en serez convaincus, plus votre Âme sera convaincue, et plus vous en viendrez à trouver cela normal. *(Les chercheurs de vérité, IV, 21-04-1990)*

L'expérience que je fais avec l'énergie, de me sentir divisé, est-ce que c'est nuisible ou utile ?

Vous êtes en train de prendre conscience des différents niveaux et des ajustements d'énergie de vos formes. Cela veut dire que vous pouvez déplacer ces énergies à volonté, prendre conscience de certaines parties de votre forme et en oublier d'autres. C'est simplement canaliser l'énergie de vos propres formes. Cela n'a rien à voir avec l'Âme comme telle. Seulement nous pourrions ouvrir des parenthèses et vous dire que, lorsque vous contacterez votre Âme, votre forme sera prête.

Est-ce que je dois pousser sur cette...

Plus vous pousserez, plus vous aurez peur.

Pousser dans le sens d'activer cette énergie ?

Si cela peut vous amuser, vous pouvez le faire. Nous pouvons vous dire que vous êtes déjà prêt, comme la majorité des gens qui sont ici. Mais nous devons vous mettre en garde, cependant. Vous côtoyez des gens qui savent vous utiliser. Vos énergies ont des empreintes qui sont identifiables. Il n'y a pas une seule Âme qui soit totalement identique dans son expérience. Elles peuvent se ressembler, mais elles ne sont pas pour autant identiques. Prenez un groupe de personnes qui vivent ensemble, qui se connaissent très bien, qui ont appris à identifier leur énergie, qui pourraient se reconnaître même dans le noir le plus sombre. Lorsqu'une autre personne entre dans le groupe, elles savent voir la différence et seront touchées par les émotions nécessaires. À ce niveau, vous êtes vulnérables.

C'est un simple avertissement pour vous. Soyez prudents, certains tenteront de modifier votre conscient. Nous savons que vous avez compris. En ce qui a trait à vos Âmes, même si elles ont leur propre identité, c'est la même chose que pour vos formes. Vous avez vos propres identités; vous êtes tous aussi uniques les uns que les autres. C'est cela qui fait que l'expérience de l'incarnation est très valable et que, pour les Âmes, elle est toujours voulue et nécessaire. Votre temps n'existe pas. Le temps que cela prendra, selon votre notion du temps, leur importe peu. Il vous faut savoir que, si elles vous ont choisis, c'est qu'elles sont heureuses et non le contraire. Vous ne les forcerez jamais à rester en vous si elles ne le veulent plus. D'où la relation avec l'expérience que vous nous avez mentionnée. Si vous êtes trop ouverts, vous pouvez laisser une porte ouverte. C'est le conscient que nous avisons en disant cela, pas l'Âme, car elle le sait. Il y a aussi des niveaux. Lorsque nous nous adressons à vous, c'est aussi un repos pour vos Âmes, simplement parce que notre taux de vibration est encore différent du leur et que, lorsque nous nous approchons de vos formes, vos Âmes le savent et en profitent doublement. C'est comme lorsqu'il fait très chaud et que vous prenez un bain; cela peut être comparable à ce niveau. Vous pouvez dire que les Âmes se rafraîchissent. Cela leur donne un avant-goût. Il vous faut aussi savoir une autre distinction. Même si les Cellules et les Entités ne se côtoient pas directement, les Cellules peuvent toujours avoir le dernier mot lorsqu'il y a des Entités et des Cellules. Cela répondra à une question qu'une personne avait ici ce soir au sujet de la hiérarchie. Il y en a une effectivement, mais comme dans toute armée, nous avons aussi des Entités qui nous avertissent lorsqu'il y a exagération. Ce sont celles dont nous avons dit qu'elles pourraient être des Cellules. *(Les pèlerins, III, 05-05-1990)*

Quand vous dites que les animaux ne sont pas conscients, est-ce que cela veut dire qu'ils n'ont pas d'Âmes ?

Ils ont de l'énergie, mais de l'énergie inconsciente. Lorsque les animaux décèdent, ils n'ont plus de vie. Cette énergie sort de la forme mais ne sait plus quoi faire; comme elle n'a plus de compréhension, elle se dissout, se perd et est absorbée. Il y a une grande différence entre ces énergies et les vôtres qui, elles, sont plus conscientes, plus construites dans vos formes et bien conscientes de leur réalité.

Est-ce l'Âme qui fait qu'on est conscient dans nos formes ? Est-ce que la différence entre les animaux et nous provient de ce que nous avons une Âme et que les animaux n'en ont pas ?

Dans un sens, cela fait toute la différence, mais d'un autre côté, ceux qui n'ont pas d'Âme agissent aussi comme des animaux.
(Les Âmes en folie, III, 22-06-1991)

Est-ce que les animaux ont des Âmes ?

Question très curieuse, mais nous la comprenons. Dans un sens, il faut que tu comprennes qu'ils ont la connaissance, qu'ils ont l'instinct, alors que *vous* avez l'intuition. Ils ont une forme d'énergie qui ne peut pas se perpétuer. Certaines personnes, dans leur fabulation énorme, disent avoir fait des voyages astraux et avoir vu une couche d'animaux, une couche d'êtres non évolués et une couche d'êtres plus évolués. Probablement que ces gens aimaient les pâtisseries pour voir des couches comme cela. Cela ne se trouve pas, aucunement. Il n'y a pas d'Âmes dans les animaux. Il y a l'énergie, mais elle n'est pas suffisamment développée pour pouvoir se perpétuer, et ce dans aucun monde d'ailleurs. Ils sont trop occupés à leur survie. Vous savez, il y a fort peu de mondes qui font avec les animaux ce que le vôtre leur fait, fort peu. À cause des invités de ce soir, nous ne décrirons pas ce qu'un animal peut ressentir pour vous faire comprendre ce que vous mangez actuellement. Nous ne ferons pas cela ce soir, mais vous pourriez poser une question à ce sujet dans une autre session; vous pouvez la noter. Cela ne t'empêche pas, d'ailleurs, d'aimer les animaux pour ce qu'ils sont : des amis qui sont souvent nécessaires à l'équilibre. *(Les colombes, période réservée à des enfants, III, 04-08-1990)*

Est-ce que les animaux ont aussi une Âme ?

Les animaux ont une forme d'énergie qui ne va pas bien loin. Après leur mort, cette énergie inconsciente se dissipe dans les deux heures; il n'y a pas de conscience à ce niveau. C'est valable pour les plantes, les fleurs aussi. *(Symphonie, III, 08-06-1991)*

Ma question porte sur les petits animaux avec lesquels on choisit de vivre...

Ils n'ont pas d'Âme, pour la simple raison que leur énergie n'est pas consciente. Lorsque ces formes perdent leur forme, le peu d'énergie qu'ils ont se dissipe dans une forme d'inconscience. Autrement dit, elle n'est pas organisée. Désolées pour ceux qui veulent amener leur chat avec eux ! Mais ces jeunes formes n'ont pas de suite; c'est pourquoi elles donnent tant. Qu'est-ce qui caractérise le plus les animaux ? Nous ne parlons pas des insectes, mais de ceux que vous utilisez le plus ?

L'affection.

Tout à fait. Et sans attendre en retour. Qui peut se vanter de cela ? Pendant qu'ils vivent, les animaux profitent de tout ce qui leur est permis de vivre, de leur intuition, entre autres, de leur façon de comprendre et de vous comprendre. Lorsque cela se termine, cela se termine, il n'y a pas de suite. Nous aimerions vous dire aussi qu'il n'y a pas d'Âmes qui s'amusent avec cela. Ce n'est pas leur façon de créer. *(Marée et allégresse, III, 06-11-1993)*

Pourquoi les animaux sont-ils si attirants ? Est-ce qu'ils ont une Âme ?

Parce que les animaux ont ce que vous n'osez pas donner mais que vous osez prendre : l'amour. Parce qu'il vous semble parfois que les animaux comprennent plus que les gens qui vivent à vos côtés. Parce que vous avez besoin de redonner votre affection. Que faites-vous avec ce que vous appelez un animal ? Vous lui redonnez de votre affection, vous lui retransmettez cela. Ils ont leur raison d'être. Cela ne veut pas dire qu'il faut absolument vous refermer sur eux. Que font les personnes âgées ? Celles qui sont attachées aux animaux les considèrent souvent comme leurs enfants. Vous verrez des personnes âgées, et même parfois jeunes, appeler leur chien ou leur chat « fifille », « mon gars », « ma fille », etc. Oh ! ces gens ne sont pas stupides. Ils savent très bien qu'ils ne les ont pas procréés; mais ces animaux peuvent recevoir leur affection et ces gens croient être compris de ces animaux. Donc, il se fait un échange. Autrement dit, lorsque vous vous rendez compte de cela, recherchez où l'échange a cessé pour vous. Qui a été la première personne à rejeter votre affection, votre compréhension de l'affection ? Vous apprendrez plus tard dans les ateliers (dans ce groupe, vous aurez cette connaissance) des moyens d'éliminer cela en moins de 10 secondes, de façon à reprendre et à redistribuer ces énergies. Pour répondre à votre deuxième question, les animaux n'ont pas une Âme mais une forme d'énergie non consciente. Donc, lorsqu'un animal meurt, dans les trois ou quatre secondes suivantes, il n'y a que de l'énergie dissipée, non concentrée et non consciente. *(Nouvelle ère, I, 29-02-1992)*

J'ai un animal qui hurle parfois sans raison, pourquoi ?

Parce qu'il perçoit des énergies qui lui sont étrangères. Lorsque nous avons fait cette session il y a une semaine, il y avait un chat, il y avait aussi des oiseaux. La majorité des animaux nous ont perçues lorsque nous sommes arrivées dans cette forme. Ils nous ont très bien perçues et ils ont aussi donné leur version aux différentes questions qui ont été posées. Ce fut une très belle expérience pour nous, mais surtout pour le chat. Celui-ci fut fort surpris lorsque nous avons pu converser. Alors, voyez-vous, les animaux perçoivent. Parfois, c'est pour vous faire sentir qu'il y aura danger, qu'il pourrait y avoir des problèmes si vous êtes trop ouvert. Alors que, d'autres fois, ils pourraient être heureux de percevoir des énergies qu'ils peuvent ressentir comme étant valables et joyeuses pour eux. Les enfants peuvent très bien nous percevoir. Parfois, il nous est même arrivé de nous laisser percevoir de l'extérieur par des enfants, mais la majorité ont eu peur parce que nous ne pouvons adopter des formes comme les vôtres pour nous laisser percevoir, car nous n'en avons jamais eu. Tout ce qu'ils peuvent percevoir, c'est une lumière, et c'est ce qui leur fait peur. Alors, nous nous faisons plutôt percevoir de l'intérieur, c'est plus facile pour eux. *(Les pèlerins, III, 05-05-1990)*

Est-ce possible, quand on a vécu longtemps avec un animal, après son décès, de ressentir son énergie ?

Foutaise que cela ! Plus qu'une heure, en de très rares exceptions, mais pas passé ce délai. Ces énergies ne sont pas conscientes. Elles restent autour de l'animal, mais pendant tout au plus une ou deux de vos heures, rarement plus que cela. Par contre, vous pourriez les recréer. Si vous êtes sensibles à ce point, vous pouvez les recréer même sur vous. Vous avez le droit de créer, vous savez, et d'y croire. Tout dépendra de votre force de persuasion. Alors, ce que vous ressentirez ne sera pas l'énergie de l'animal, mais cela correspondra à un réajustement dans votre cerveau de ce qui vous manque. Donc, vous recréez pour vous uniquement. C'est pour cela que les autres ne ressentiront pas cela, seulement vous. Vous créez selon ce que vous pouvez percevoir et selon vos demandes. *(Les Âmes en folie, III, 22-06-1991)*

Quand je suis réveillé la nuit, ce que je vois, est-ce que c'est de l'énergie ?

Vous voyez en fait les différents niveaux d'énergies incluant le vôtre. Lorsque vous employez le mot énergie, c'est ambigu actuellement. N'appelez-vous pas énergie celle de vos formes et celle de l'Âme ? Elles ne sont pas les mêmes. En effet, certaines personnes voient ce que vous appelez les auras, qui sont des champs d'énergie autour de vos formes. Nul besoin de les percevoir, cela n'a aucune utilité. Certaines personnes vous diront que, grâce aux auras, elles peuvent voir si une personne est malade ou non. Petite surprise pour vous ! Ne savez-vous pas que les couleurs se mélangent ? Que pour obtenir le vert, il vous faut deux couleurs ? Laquelle avez-vous vu ? Le vert réel ? Si vous pouvez voir l'aura des autres, vous voyez donc au travers de la vôtre. Cela fausse la perception. Voyez la vôtre, voyez celle des autres et faites-en la différence. Sachez que vos formes se rééquilibrent d'elles-mêmes et cela à chacun des instants de votre vie. Donc, si vous apprenez à vivre avec des auras, à juger ceux qui vous entourent avec cela, vous vous jugez vous-mêmes. Pour en venir à l'explication de ce que Mark a surtout vu, c'est très similaire à ce que vous appelez les aurores boréales en ce sens que les énergies étaient très changeantes. Parfois, c'était des Entités; il a même observé son Âme, puis il a vu aussi les Cellules mais dans cette pièce-ci. Cela dépend de ce qu'il demande. Cela rejoint très bien la question posée auparavant. Il verra ce qu'il demandera à voir, ce qui pourra calmer le conscient; c'est une question de choix.

Est-ce l'Âme qui prend la décision ?

Parce que le conscient l'a demandé et parce que cela peut aider cette forme, son Âme a accédé à sa demande. *(Maat, III, 13-01-1991)*

Au Salon ésotérique, quelqu'un prenait des photos de l'aura, est-ce que c'était truqué ou réel ?

Assez imaginatif ! C'est un champ magnétique. Pouvons-nous vous suggérer que, sur ces photographies, malgré l'arc-en-ciel qui apparaît autour des objets et des personnes, la pellicule était plus « impressionnée » par les couleurs que la personne elle-même. Ces effets sont causés par des nuances mécaniques, par des champs magnétiques. Cet effet est très ancien. C'était plus pour une démonstration. Vous pouvez toujours croire aux couleurs, mais vous auriez pu lui faire une bonne blague en faisant photographier votre stylo; vous y auriez vu un effet similaire. Nous aurions bien aimé entendre sa réponse sur l'aura du stylo à bille ! Vous remarquerez que ces gens prendront surtout des instantanés, car le développement d'une pellicule sensible ne démontrerait pas de résultat. Il aurait fallu augmenter le spectre de l'éclairage. Nous espérons que notre explication ne vous a pas déçu. Pour certaines personnes, c'est une façon de se rendre très intéressantes lors de certaines soirées. Imaginez une foule où une personne vous dit : « Oh ! que c'est intéressant. Regarde l'aura de celle-ci ou de celle-là. » Avec les auras et les énergies qui s'entremêlent, le blanc pourrait être noir ou le brun, rouge. Comment en être sûr ? Disperser la foule ? Apprendre à cette personne à distinguer ses propres couleurs ? Vous imaginez la somme de travail et cela, pour une personne qui n'y croirait peut-être pas ? Pour résumer, oui, cela existe; mais nous ne vous conseillons pas de vous fier à cette méthode car vous avez la possibilité de changer vos couleurs à volonté. Par contre, si vous ne trichez pas, vous pouvez observer votre aura; ce pourrait être une bonne base. Ce que nous préférons cependant, c'est que vous influenciez votre état à volonté plutôt que de vous fier aux couleurs établies, car elles sont différentes d'une personne à une autre. Nous avons observé à l'endroit mentionné une personne qui peignait des toiles représentant des auras. Cette personne aurait beaucoup de talent pour peindre de beaux paysages; les couleurs obtenues sont intéressantes. Que risque-t-elle à mettre ainsi une couleur, puis une autre et ainsi de suite ? Vous ne pourrez pas dire que ce n'est pas votre aura. Sur la toile que nous venons d'observer, il y a 16 couleurs. La personne dont c'est l'aura n'a plus aucune chance ! Nous avons toujours préféré la simplicité dans les explications. Si nous rajoutions des faits plus longs et plus colorés, cela pourrait combler certains d'entre vous, mais cela ne vous ferait pas progresser et le but d'une session de groupe n'est pas de vous conter des histoires mais de favoriser une progression d'ensemble plus rapide. *(Les chercheurs de vérité, III, 17-03-1990)*

La lumière qui émane d'une personne, est-ce son Âme ou une Cellule ?

Il faut faire deux distinctions. Si vous prenez une forme comme celle devant vous

[Robert], ce ne seront pas des radiations émises par la forme que vous percevrez, car son taux d'énergie est trop bas, mais notre énergie; c'est actuellement à la droite de cette forme pour ceux qui peuvent le voir. Chez certaines personnes, vous percevrez l'énergie de la forme elle-même. Chez des personnes qui sont en contact avec des Cellules, qui les perçoivent et qui s'ajustent à leur taux vibratoire, ou des personnes en contact avec des Entités, vous percevrez plutôt l'énergie des Cellules et des Entités. Vous ne verrez pas grand changement dans le cas d'Entités. Il y aura augmentation d'énergie dans la forme, mais cette énergie sera très changeante. Certaines personnes se vantent et disent : « Je vois l'aura autour de telle personne. Que c'est beau ! C'est tout rouge, tout jaune, etc. » Foutaise que cela ! Ce n'est d'aucune valeur. Dites-vous bien ceci : si une personne voit du jaune autour d'une autre personne, c'est que cela passe au travers de son propre aura. Donc, elle voit le résultat d'un ensemble de couleurs et ce n'est d'aucune utilité, ce n'est qu'une curiosité. Certaines personnes disent voir si quelqu'un est malade grâce à l'aura. Qui vous dit que ce ne sont pas elles qui sont malades ? Bien que vous n'utilisiez pas souvent les projections d'énergie de vos formes, lorsque vous ne voulez pas croire à la maladie et que vous l'avez, vous retransposez à l'extérieur de vous les radiations émises par l'énergie de vos formes et même des organes qui sont malades; et cela pourrait donner des jugements très faussés. Donc, pour répondre à votre question, tout dépendra du but fixé, de la raison pour laquelle vous voulez voir cela. Nous savons que vous dites que voir, c'est croire, mais la foi n'exige pas de voir. *(Nouvelle ère, I, 29-02-1992)*

Quelle est l'importance des couleurs ?

C'est très individuel. Si le vert signifie l'espérance pour certains, il signifie le deuil pour d'autres. Et le noir signifie l'espérance pour certains, et le deuil ou une couleur à éviter pour d'autres. Nous pourrons développer ce thème dans une autre session et répondre aux questions en proposant une méthode. *(Les chercheurs de vérité, I, 09-12-1989)*

À la dernière session, vous nous avez demandé de vous expliquer notre méthode concernant l'utilisation des couleurs. Est-ce toujours votre souhait ?

Oui.

Maintenant que les Entités se sont calmées, nous allons pouvoir débuter. Encore une fois, voyez-vous, les méthodes diffèrent. Nous avons observé tout ce qui existait sur tous les continents, mais le résultat était le même car, dans la majorité de ces méthodes, la signification des couleurs a été imposée : le rouge pour ceci, le vert pour cela, etc. Comme si cette signification était similaire pour tous, comme si vous n'aviez pas une imagination pour vous créer des significations individuelles, comme si vous étiez tous semblables. Au niveau des énergies, il y a plusieurs différences. Si vous voulez utiliser les couleurs pour vous, nous allons vous donner une méthode fort simple et très efficace, mais il vous faudra mettre de côté les autres méthodes. La nôtre vous permettra de vous équilibrer, de vous comparer avec vous-même et non pas avec une charte déjà établie par d'autres personnes, selon leur convenance. Il n'y a pas une seule personne ici ce soir qui puisse comparer ses énergies personnelles avec celles de la personne à ses côtés. Vous ne pourriez même pas échanger une couleur qui vous conviendrait à l'instant présent, cela n'irait pas. Alors, les méthodes diffèrent, et même les couleurs se rattachant aux points d'énergie que vous appelez les chakras; même ces couleurs diffèrent. Il est important que vous sachiez cela. Certains disent : « Très bien, mais il y a l'aura. » Nous avons déjà fait le tour de ce sujet dans le passé. Nous vous avons dit qu'une personne capable d'observer votre aura se trompait à coup sûr, simplement parce qu'elle percevait les couleurs de sa propre aura en plus de celles de votre aura. Comme vous le savez tous, les couleurs se mélangent. Si une personne vous dit que votre aura possède du vert et du jaune, souriez-lui et demandez-lui quelle est la couleur de son aura personnelle au niveau qu’elle observe ? Cela vous donnera une bonne indication de la vôtre. Mais il ne s'agit encore une fois que d'observation et non pas de participation. Il y a une multitude d'expériences passées, même dans certaines religions, en ce qui concerne les couleurs et leur observation. Vous remarquerez aussi qu'une personne très ouverte, très sensible à ses vibrations personnelles, choisira la couleur de ses vêtements et se sentira à l'aise avec cette couleur. C'est une bonne indication. Mais ces mêmes vêtements ne vous conviendront peut-être pas sept heures après votre choix ou même trois heures après. Combien d'entre vous ont choisi des vêtements au lever pour se rendre compte au beau milieu de la journée qu’ils ne leur convenaient plus ? Plusieurs.

Cependant, cela peut être contourné d'ailleurs; nous vous dirons comment un peu plus tard dans cette session. Ce que vous avez appris jusqu'ici sur les couleurs, sur les méthodes des autres, appartient aux autres. Les couleurs comme telles n'existent que pour vous, pour le physique, pas pour l'Âme. De notre côté, nous pouvons avec imagination percevoir les couleurs, mais ce n'est d'aucune utilité comme telle. Nous n'avons pas ce que vous appelez les yeux pour les distinguer. Nos dimensions sont multiples, mais la couleur n'a que très peu d'intérêt sauf encore une fois pour l'imagination des formes, ce qui n'est pas notre cas. À titre d'indication, les Entités ce soir... Si vous pouviez voir ces curieuses ! Lorsque nous avons dit que les couleurs n'existaient pas dans notre milieu, dans notre dimension, elles se sont observées entre elles... Il y en a quelques-unes qui ont de l'humour ! Quelques instants, il y a une demande de leur part. Elles aimeraient savoir quelque chose, et cela semble faire la majorité... Qui dans ce groupe répondra ?

Maryvonne. Ces Entités curieuses ont des questions à poser. Cela pourrait leur rendre service. Nous ne diminuerons pas le temps de cette session pour autant. Nous espérons que votre perception de ces Entités ne vous dérange pas trop physiquement. Elles aimeraient savoir en quoi les formes peuvent être perturbées par des perceptions de couleurs. Elles parlent de vos formes. Autrement dit, en quoi les couleurs peuvent-elles modifier vos comportements ? Est-ce moins complexe ?

À la vue d'une couleur tel le rouge, selon la couleur, ça peut amener un éclat, une vivacité, aussi selon la journée, l'agressivité.

N'est-ce pas la couleur que vous avez associée à l'amour ? Comment pouvez-vous associer à une couleur à la fois l'amour et l'agressivité ? Elles croient avoir trouvé une bonne question ! Elles sont très mémères, vous savez. Elles s'amusent autant que vous.

Le rouge donne de la chaleur car on associe le rouge au feu.

Donc, vous utilisez les couleurs à la fois pour vos sentiments et pour vos émotions ? Nous signalons que c'est leur question. Elles aimeraient savoir comment vous pourriez vivre en imaginant qu'il n'y aurait aucune couleur ?

Si on n'avait pas connu les couleurs, elles ne nous influenceraient pas, nous en ferions abstraction.

Si vous perdiez la vue, est-ce que la vie vous serait insupportable ?

Nous les imaginerions.

Mais vous l'oublieriez au bout de plusieurs années.

Quand on est aveugle dès la naissance, on ne connaît pas les couleurs.

Elles ont une autre question. Nous tenons à mentionner cette remarque que nous leur avons faite avant de vous la faire, à savoir que leur nombre n'est pas égal au vôtre. Elles sont beaucoup plus nombreuses que vous. Elles auraient plusieurs autres questions, mais nous allons les arrêter après celle-ci, qui sera plus difficile. Dans vos réponses, vous avez fait mention que vos émotions et vos sentiments étaient affectés par les couleurs, de même que vos comportements. D'un autre côté, comment se fait-il que la personne qui n'a pas de vision en bas âge n'ait pas ces problèmes et puisse tout de même aimer et aussi avoir des émotions, des sentiments, être agressive ? Est-ce donc que les couleurs sont superficielles, qu'elles ne sont nécessaires qu'à la beauté et qu'elles peuvent être stimulantes pour l'amour ou encore agressives, selon votre souhait ?

En fait, cela dépend de la signification qu'on leur donne.

Très bien, mais cela ne répond pas à leur question.

C'est une question réponse.

Vous savez, elles ont à la fois des questions et des réponses. Ce qui les intrigue le plus, c'est qu'elles ne peuvent observer vos couleurs, mais qu'elles ont pu comparer certaines formes qui n'ont jamais eu de vision. Elles ont observé que ces formes avaient des sentiments très profonds, même si ces sentiments n'étaient pas d'égale valeur; ils étaient même parfois d'une valeur supérieure aux sentiments de ceux qui voient.

Cela veut dire que ces personnes sont plus sensibles aux vibrations alors que nous nous servons de nos yeux faute de pouvoir sentir les vibrations.

Vous savez, une personne qui n'a pas la vue ne pourra pas vous dire la couleur d'un tissu.

Elle sentira peut-être la vibration.

Foutaise ! Cela demande une définition... Nous allons pouvoir apporter des réponses. Selon l'observation faite chez une personne n'ayant pas la vue, il est clair que celle-ci crée ses propres vibrations imaginatives. Les personnes n'ayant pas la vue n'ont tout de même pas perdu l'imagination et, à force d'entendre parler des couleurs, elles tenteront d'y associer des vibrations. Certaines d'entre elles développeront cela, mais cela n'influencera pas leurs émotions, ni leur agressivité. Pouvons-nous vous suggérer que les couleurs, et cela depuis des millions d'années, vous ont été suggérées. Prenez une personne en très bas âge – nous ne vous suggérons pas de le faire pour vrai, c'est seulement pour mieux vous faire comprendre. Apprenez-lui très jeune que le jaune est le rouge et que le rouge est le blanc. Embrouillez-la. Dites-lui que le jaune qui est le rouge la rend agressive et vous verrez qu'elle en sera convaincue. Ce n'est pas le problème avec vous, car vous savez tous vos couleurs. Cependant, vous avez tous appris à mettre des significations sur ces mêmes couleurs. Telle couleur pour l'amour, telle autre pour la pureté, telle autre pour ceci et cela. Vous le savez tous, et ce en très bas âge. N'avez-vous pas associé des couleurs à vos sexes ? Telles couleurs pour la fille, telles couleurs pour le garçon et si, avec les années, le garçon optait pour les couleurs de la fille, vous lui donniez des surnoms. Tout cela n'est qu'imaginaire, que volonté et imagination. Nous serions portées à appeler cela suivre des formules préétablies. Mais il y a encore des pays où cela n'a aucune importance. Vous dites que ces gens sont sous-développés. Alors, vous voyez que les couleurs n'ont pas toutes les mêmes significations et sont sujettes à interprétation. Cependant, en tenant compte du milieu où vous êtes actuellement, de votre éducation, de votre avancement spirituel, nous allons tout de même vous donner une méthode. Mais réfléchissez bien à ce que nous venons de vous dire. En effet, associer un événement à une couleur pourrait parfois vous jouer des tours dangereux, et vous seriez vous-mêmes pris au jeu. Qu'arriverait-il si, une journée dans votre vie où le rouge vous rendrait agressif, une personne vous apportait un bouquet de roses ? Le rejetteriez-vous en vous disant : « Le rouge ce matin est agressif ? » Non, bien sûr. Alors, les couleurs ne sont que des jeux, mais elles peuvent très bien se mélanger et former de nouvelles couleurs. Ce qui est encourageant pour vous, c'est que le spectre des couleurs n'a pas de fin. Vous pouvez cependant utiliser les couleurs pour l'ajustement de vos vibrations; c'est différent, différent des sentiments, différent de ce à quoi elles ont été associées par le passé. Pour faire cela, il y a une méthode fort simple. Nous l'avons expliquée à Françoise il y a 11 de vos mois. Nous avons aussi observé les résultats lorsqu'elle la pratiquait. Si la méthode était bien appliquée, elle pourrait effectivement bien vous aider. Voici ce en quoi cette méthode consiste. Procurez-vous ce que vous appelez des cartons de couleurs. Choisissez environ 12 de ces cartons, que vous taillerez à une grandeur convenable. La première journée, placez-les sur une table avant de vous coucher. Il n'y en aura que 12, cela ne prendra pas de place. Au lever, avant de regarder ces couleurs, tentez de percevoir votre état. Vous pouvez vous poser des questions comme : « Suis-je bien ce matin ? Si j'avais à comparer ma condition physique et mentale, dirais-je que je suis libre ? oppressé ? ou insupportable pour les autres ? » Lorsque vous aurez votre réponse, dirigez-vous vers les cartons de couleurs, laissez aller vos yeux et choisissez-vous une couleur. Vous écrirez à l'endos de ce carton une note décrivant votre sensation, par exemple : « Ce matin, j'étais moi-même et j'envisage cette journée comme étant paisible. » Puis vous prendrez ce carton et en découperez un coin que vous porterez sur vous durant toute cette journée. Aussitôt que votre moral changera, regardez de nouveau la couleur de votre bout de carton. Au lieu de seulement l'observer, faites plutôt l'essai de vous retransporter à l'instant même où vous avez regardé cette couleur au tout début de la journée dans le but d'accorder vos vibrations, de les descendre ou de les augmenter, simplement en reprenant les vibrations concordant avec cette même couleur. Refaites l'expérience chaque matin jusqu'à ce que vous ayez utilisé les 12 couleurs. Vous verrez, vous aurez des émotions différentes certains matins. Notez-les toujours à l'endos des cartons. Vous vous rendrez compte qu'avec l'habitude, vous pourrez vous-mêmes choisir l'émotion que vous voudrez. Supposons que le blanc concorde avec l'état de calme. Certaines personnes se lèveront très calmes, mais elles aimeraient plutôt être un peu plus spirituelles; elles utiliseront alors la couleur qui correspond à cet autre état. Cette méthode peut vous paraître compliquée mais, vous verrez, cela prend environ trois de vos mois pour bien vous ajuster. Si pour vous 12 couleurs, c'est trop, faites-le avec 6. Faites une liste de vos principales émotions, cela vous donnera une liste du nombre des couleurs. Si utiliser 8 couleurs est suffisant, faites-le avec 8 cartons. Si vous avez une liste de 16 émotions, trouvez 16 couleurs. Lorsque vos cartons de couleurs seront tous choisis, vous pouvez toujours les insérer dans un livre, les uns à la suite des autres, un peu comme si c'était des photographies; inscrivez aussi votre description des émotions correspondantes. Les couleurs sont vôtres, vous en avez le choix; vous avez l'imagination nécessaire. Votre forme ne demande pas mieux que de s'ajuster à vous, à votre pensée. Nous vous avons dit par le passé que vous serez toujours à l'image de votre pensée, que vos cellules réagissent selon votre pensée, ce qui détermine vos maladies d'ailleurs. Si c'était toujours possible, les couleurs constitueraient une méthode fort visuelle avec laquelle le conscient pourrait réajuster vos cellules, mais vos cellules doivent savoir ce que vous attendez de chaque couleur. C'est pourquoi il faut que cela entre en vous. Aussi est-il fort important que, toutes les fois que vous porterez une pièce de couleur sur vous, vous l'observiez à plusieurs reprises pendant la journée et vous vous remémoriez votre état du matin correspondant. Vous auriez beau dire à 300 personnes à vos côtés que la couleur jaune vous rappelle l'amour et qu'elle vous incite à être en paix avec vous-même, combien de personnes pourraient en dire autant ? Vous verriez très vite que vous êtes la seule, parce que cela dépend des connaissances associées aux couleurs, non pas des couleurs elles-mêmes – le jaune sera jaune et le rouge sera rouge – mais des significations individuelles et des connaissances de ce que vous êtes réellement. Si vous portez des vêtements qui correspondent à ces couleurs, c'est aussi très bien, mais rappelez-vous qu'il ne s'agit pas seulement de voir les couleurs mais aussi de faire les associations de mots avec elles, d'habituer votre forme à comprendre ces symboles. Plusieurs d'entre vous auront l'occasion dans l'avenir de connaître d'autres méthodes, anciennes ou nouvelles. Aucune d'elles ne vaudra celle que vous aurez adaptée à votre forme. Vous avez fait une très bonne remarque au début de cette session, lorsque vous avez mentionné les vibrations des couleurs. En fait, c'est la lumière qui réfléchit les couleurs que vous percevez et c'est elle qui change votre perception selon votre humeur. Vous avez deux choix. Vous pouvez dompter votre pensée selon ce que vous voulez réellement être et ressentir, ou être influencé comme actuellement. Vous pouvez vous dire : « Ce matin, ce n'est pas de l'affection mais de l'agressivité que je ressens », ou vous pouvez vous dire : « Lorsque ce sera rouge, ce sera l'amour pour moi; l'agressivité, je n'ai pas encore de couleur pour cela. » Si vous préférez avoir une couleur pour l'agressivité, c'est votre choix. Vous trouverez tous vos couleurs, mais au moins leur symbolique sera définie et vous aurez le choix. Est-ce que c'est bien compris ? *(Les chercheurs de vérité, IV, 21-04-1990)*

En relaxation, quand je fais respirer les gens, j'ai souvent remarqué que les couleurs sont vraiment différentes d'une personne à l'autre et d'un organe à l'autre. Est-ce l'effet de sentir les couleurs ?

Cela vient prouver nos dires, à savoir qu'il n'y a pas deux personnes qui observeront les mêmes couleurs. Il serait bien, dans ces conditions, de noter ces couleurs selon les émotions de chacune des personnes. Ce serait plus rapide que de leur demander à tous les jours de les noter, cela leur rendrait service et ce serait plus rapide. Sous hypnose, vous pourriez prendre 300 personnes ou 3000, peu importe, leur demander quelles couleurs les relaxent le plus, et vous auriez droit à un arc-en-ciel. Vous êtes tous individuels, tous différents; vous avez tous des buts et des expériences passées différentes, il faut tenir compte de cela. Rappelez-vous le but de votre vie, le mariage de l'Âme avec la forme et de la forme avec l'Âme. Il peut y avoir suggestion de l'Âme comme il peut y avoir suggestion de la forme pour que ce mariage se produise. Mais, encore une fois, au risque de nous répéter, vous êtes les seuls à pouvoir influencer cela de façon valable. Les moyens que vous choisirez, qu'ils proviennent de nous ou de votre Âme, seront valables. Certains nous ont choisis pour pouvoir avoir une compréhension plus juste, plus rapide.

Simple observation : il faut vraiment avoir confiance en soi, la réponse est là !

Mais c'est déjà en vous. Vos sociétés ont déjà adjugé des couleurs selon des événements. À vous de changer cela ! *(Les chercheurs de vérité, IV, 21-04-1990)*

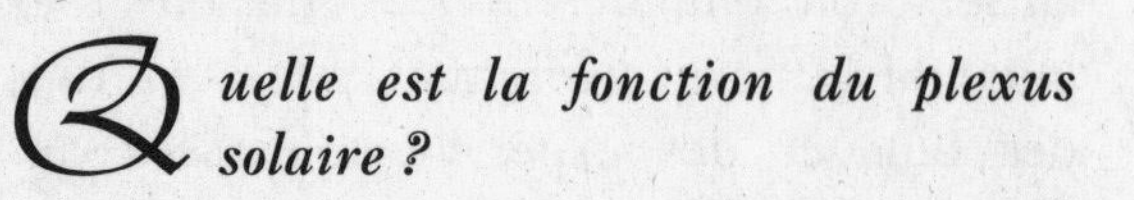

Quelle est la fonction du plexus solaire ?

Il a une fonction très amusante. Si vous le voulez, vous pouvez diriger votre conscient vers ce point; c'est un point d'entrée d'énergie. Il s'agit d'une simple connaissance à laquelle il ne faut pas porter d'attention, pas plus qu'à vos auras. Cela aussi nous amuse. *(Les pèlerins, III, 05-05-1990)*

Est-ce que le contact avec l'Âme correspond à l'expérience de la montée de la kundalini dont on parle dans la littérature ésotérique ?

L'expérience de la kundalini n'est autre qu'une vibration des points d'énergie de la forme dans le but d'harmoniser ses cellules à l'énergie de l'Âme. Il y a un danger à cela; nous avons expliqué pourquoi dans les groupes précédents. Cette expérience comporte un danger certain parce qu'il y a des gens qui sont malheureusement trop ouverts et qui, lorsqu'ils harmonisent leurs énergies, peuvent capter aussi des énergies extérieures. Si leur Âme n'est pas suffisamment habituée aux formes, leur forme s'habituera à de l'énergie autre que celle de leur Âme, à des énergies soit plus évolutives, soit moins évolutives. Donc, l'expérience de la kundalini ne devrait être faite que par des personnes déjà très habituées avec ce principe. Elle ne convient certainement pas à tous. Elle n'est pas une nécessité non plus, car cet exercice n'apporte pas de résultats immédiats. C'est un exercice qui est fait surtout pour habituer le conscient aux changements. Ce que nous proposons en échange dans notre cours, ce sont des prises de vue visuelles et auditives pour que vos conscients soient immédiatement en contact avec les changements à venir, pour qu'ils comprennent les changements qui viendront, pour qu'ils se comprennent eux-mêmes. C'est une approche différente, beaucoup plus rapide et sans danger. *(Alpha et omega, IV, 22-09-1990)*

Pouvez-vous nous parler de la kundalini ?

Cela se rapproche beaucoup de la question précédente concernant le fait de s'accorder avec soi-même. Certaines personnes poussent ces expériences à un point tel qu'elles vibreront avec ce qui les entoure, croiront avoir atteint des états seconds, des états recherchés, alors qu'elles n'auront rien trouvé d'autre que le fait de percevoir l'extérieur. Et cela les emballera. La kundalini, ce n'est qu'une expérience comme d'autres pour vous faire comprendre qu'en fait cette dimension extérieure est la même en vous et que vous pouvez choisir de votre propre volonté, de votre propre coeur, de vous accorder à tout ce que vous voulez sans effort. Nous ne le répéterons jamais assez : vous cherchez trop et vous n'ouvrez pas les bons yeux. Vous pourriez aussi faire cela avec des drogues. Pourquoi pas ? Mais ce n'est pas valable. Nous n'accepterons jamais cela parce que ce serait vous enfouir dans des réalités que vous ne pouvez pas choisir, parce que vous ne pourriez répéter cela dans votre quotidien et parce que cela détruit vos formes. Il y a une personne ici qui a compris cela à temps... légère rechute, mais elle a bien compris. Elle sait qui elle est. Avons-nous répondu à cela ?

J'aurais une autre question dans le même ordre d'idées. Nous avons tous un troisième oeil et je pense que beaucoup de gens peuvent l'utiliser. Pourquoi si peu de gens y ont-ils accès ?

Bon, écoutez bien. Ce que vous appelez le troisième oeil, ce n'est pas une réalité. C'est un fait, c'est un état d'être concordant. En d'autres termes, c'est une forme d'unification des énergies dans un point précis de l'être que vous êtes. Cela pourrait être n'importe où dans vos formes, pas nécessairement à l'endroit où vous avez cru que c'était. Mais normalement, vous l'avez situé à ce point parce que c'est un endroit qui dégage beaucoup d'énergie en rapport avec les hémisphères gauche et droit de vos cerveaux. Il s'agit d'un point de réunion de vos énergies, de concordance. Mais dans le fond, ce n'est qu'une expression pouvant vous faire comprendre que vous pouvez avoir accès à des énergies capables de s'harmoniser à la vôtre lorsque vous vous concentrez sur un point précis de votre forme.

Et comme il est plus facile de le faire avec des points d'énergie « retrouvables », mesurables, vous choisissez la signification de l'oeil, dans le sens que cela peut vous faire voir des énergies, des dimensions que vous ne percevez pas avec vos yeux physiques. Mais cela ne sort pas de la forme; c'est dans votre forme, c'est une traduction. Avons-nous répondu à cela ?

Oui, je vous remercie.

N'y accordez pas trop d'importance parce que, pour nous, le coeur est beaucoup plus important parce qu'il est un point central de vos formes, un point de réunion de vos états d'être, et un point très facile à comprendre pour vous. Dès que vous êtes heureux, vous vous retournez vers cet espace où est situé le coeur, non pas l'organe, mais l'espace. *(Co-naissance, III, 12-11-1994)*

Je sens souvent dans ma vie, lorsque je pense à quelque chose,

que ça se réalise assez rapidement. Est-ce qu'on peut dire dans une certaine mesure...

Avoir des pensées créatives ?

Des pensées dirigées.

Nous préférons l'expression pensées créatrices dans cet exemple, car cela peut être un fait aussi. Rappelez-vous une chose, vous aurez l'intuition lorsque vous serez dans cet état. Lorsque vous aurez l'intuition dirigée de l'Âme à la forme, ce sera valable, car vous ferez ce qu'il faudra pour vous. Reformulez cette question pour que les autres la comprennent.

Je sens comme si j'avais un entonnoir au-dessus de la tête, qui descend le long de ma colonne; j'ai l'impression d'être de plus en plus centré, canalisé, que ma pensée peut se canaliser dans une certaine mesure, et j'essaie de bien penser...

Ce que vous pourriez exprimer en fait, c'est que vous avez perçu le type d'énergie qu'une Âme possède et que celle-ci s'est ouverte aux énergies similaires à la sienne. Certaines personnes peuvent faire cela et font référence à ce phénomène sous le nom de kundalini. Lorsque la vibration de l'Âme est régulière dans une forme, il y a ouverture et projection de cette même énergie. Lorsque cela se produit, toutes les énergies similaires autour d'une forme sont attirées par cette même énergie. Cela fait en sorte que la forme sera très relaxée. Parfois même, elle oublie sa propre présence pour aller vers d'autres énergies, et cela fait vibrer vos formes encore plus, mais ce n'est qu'une expérience de l'Âme. Cela peut se faire aussi par la volonté mais très peu de formes le tenteront. Nous avons aussi observés des cas où certaines Âmes sont sorties de leurs formes par suite de ces expériences et où d'autres ont pris place. Cela s'est produit à plusieurs reprises. Il s'agissait d'Âmes de valeurs similaires qui ne connaissaient pas bien leurs formes. C'est pour cela que nous avons dit il y a plus d'un an que cette expérience n'était pas valable et qu'elle pouvait être fort dangereuse. Il y a un autre danger à cette expérience. Lorsqu'elle est faite dans des groupes et que plusieurs personnes sont dans cette même condition d'ouverture, il peut y avoir influence directe de personnes conscientes. Lorsque vous avez employé plus tôt dans cette session le terme familier de pensée dirigée, nous avons attendu cet exemple pour compléter notre réponse. Prenons 10 ou 12 personnes qui sont dans le même état que vous. Il ne suffirait que d'une seule personne ayant gardé toutes ses connaissances, toute sa conscience, pour pouvoir vous influencer directement. Pour emprunter votre expression, elle emploierait la pensée dirigée parce qu'il y aurait ouverture pour recevoir. Comprenez-vous la nuance ? C'est là qu'il peut y avoir danger, surtout en groupe lorsque les gens ne se connaissent pas très bien.

Cela s'est produit avec ce que vous appelez des sectes et des groupements religieux. Cela se produit surtout dans ces conditions. Certaines personnes ont la mainmise sur d'autres grâce à cela. Vous aimez l'expérience, alors ils en profitent et la roue tourne encore une fois. Plus vous le faites, plus vous êtes impressionnés. Plus vous le refaites, plus vous êtes impressionnables et c'est alors que les gens se serviront de vous. D'où l'importance de bien connaître les gens avec qui vous ferez cette expérience. C'est aussi une drogue, vous savez. Vous habituez votre forme à changer ses taux de vibration. Sur le moment, vos formes se calment, mais pas plus de 10 minutes après, elles s'emballent, deviennent plus nerveuses, parce qu'elles sont conscientes des changements qui se sont produits et qu'elles craignent d'être trop influencées. Nous savons que vous avez compris.

Est-ce que cela s'appelle de la manipulation pour avoir plus de pouvoir ? Pourquoi ?

C'est une très grande forme de manipulation. Pour pouvoir profiter des gens, du côté monétaire premièrement. Certaines personnes ont tout donné. Comment pouvez-vous expliquer autrement ces gens qui ont donné tous leurs biens à des groupements, à des sectes ? Cela vous semblera irréel. Lorsque vous observerez ces personnes, vous direz : « Mais c'est illogique, cela sort de la réalité, ces gens ont perdu le contrôle, ces gens sont hypnoptisés. » Peu importent les termes que vous employerez, les comportements illogiques des gens qui ont été manipulés en ce sens ne vous sembleront pas réels. Nous avons observé aussi ce qui se passait lors de très grandes réunions avec des prédicateurs. Ces prédicateurs ont trouvé le moyen d'influencer des foules, peu importe le nombre de participants. Les gens deviennent convaincus qu'ils sont guéris, même s'il n'en est rien. C'est de la fausse foi. Mais lorsqu'ils sont dans cet état, ils ne sont pas aussi ouverts que vous l'avez mentionné; ils ont cependant fait place à une ouverture. C'est cela qui se produit sur une très grande échelle. Vous avez un très bon exemple de pensées dirigées. *(Les pèlerins, III, 05-05-1990)*

Qu'est-ce qu'une pensée ? Quelles sont les influences de la pensée sur nos vies ?

Une pensée est une forme d'énergie dirigée. En d'autres mots, lorsque vous pensez quelque chose, vous émettez une longueur d'onde dans votre forme. Si elle est trop élevée pour vos formes, elle vous nuira. Si, par contre, elle coïncide avec les possibilités qui vous sont permises actuellement, elle vous conviendra et vous vous sentirez bien avec elle. Si les pensées se matérialisaient, vous auriez tout ce que vous voulez. Mais vos pensées vous donnent la *possibilité* d'avoir ce que vous voulez. Comment ? Si elles sont graduelles, si elles sont réalistes, elles vous donnent les moyens d'avoir ce que vous voulez, ou de voir ce qu'il faut faire, ou de faire un geste, une action, qui vous donnera ce que vous voulez. La pensée, c'est essentiellement cela. Vers nous, lorsqu'elle est en images, elle est utile; lorsqu'elle est en mots, elle est inutile. En d'autres termes, si vous apprenez à penser en visualisant correctement et que vous le ressentez dans votre forme comme ce qu'il vous faut, vous aurez et vous serez heureux. Si vous ne faites que penser sans agir, vous n'aurez rien. Vous comprenez ce qu'est la pensée ?

De quelle façon cela influence-t-il notre quotidien ?

Dans le sens que, si vous pensez toujours aux mêmes choses et que vous n'aboutissez pas, vous devenez fatigués. Qu'est-ce qui vous fatigue le plus ? Des pensées qui ne sont pas actualisées, qui ne vous rapportent rien, des pensées inutiles. C'est plus clair ?

Pas vraiment.

Dans ce cas, reformulez cela.

Comment notre façon de penser influence-t-elle nos vies au point de donner des maladies par exemple ?

Parce que vous pensez à des choses qui ne vous conviennent pas ou qui sont irréalisables; parce que vous en venez à penser tellement aux mêmes choses et vous les amplifiez à un point tel que même vos formes ne peuvent le soutenir. La maladie, c'est une transformation. Et ces transformations dans les cellules de vos formes se font en amplifiant l'énergie dans les points de la forme qui concordent avec ceux de la maladie. Supposons que vous ayez un problème aux reins, qu'ils soient déjà votre point faible, et que vous amplifiiez vos pensées sur une relation qui ne vous convient pas, mais que vous continuiez cette relation en sachant très bien, en vous, que ce n'est pas ce que vous voulez. Faites cela pendant trois mois, six mois, un an; pour plusieurs, des dizaines d'années. Selon vous, qu'est-ce qui se passe dans votre forme ? Votre pensée devient tellement intégrée, tellement élevée, qu'elle ne sort plus de votre pensée. Votre forme n'a aucun secours à ce niveau. Vous augmentez les vibrations de vos formes; ce faisant, toute partie sensible ayant déjà des faiblesses se voit attaquée directement; elle est sans défense, comme la personne qui n'en a pas eue, ni dans la pensée ni dans la forme. Ce n'est pas la matière de la pensée qui vous donne vos maladies, mais l'effort soutenu, qui devient parfois inutile, mais qui vous préoccupe à un point tel que chaque instant de votre journée se trouve accaparé. C'est ce qui vous tue graduellement, ces hausses du taux vibratoire dans la forme que vos formes ne peuvent accepter. Cela peut être généralisé. Ce ne sont pas des formes faibles qui ont des cancers généralisés, mais des formes qui étaient très fortes; ce ne sont pas des gens faibles qui ont cela, mais des gens qui avaient généralement une bonne santé auparavant. Lorsque les formes résistent dans leur globalité, lorsqu'il n'y a pas de points faibles, c'est ce qui se produit. Il y a généralisation.

Comment peut-on changer notre façon de penser ?

Très simple. Pensez une fois, et faites-le. Si vous devez y repenser pendant des mois et des mois, ou ce n'est pas pour vous ou vous n'êtes pas prête. Ressentez, cessez de penser dans votre tête. Rappelez-vous ce qu'une personne nous disait plus tôt, à savoir qu'en marchant, elle ressentait l'Âme comme une énergie complète dans sa forme et que cela lui amenait le confort. C'est la même chose pour une pensée. Elle n'est pas uniquement dans votre tête, mais en vous au complet. Est-ce que ce que vous pensez vous convient, oui ou non ? Si vous le ressentez et que vous êtes bien avec cela, faites-le car vous ne courez aucune chance que cela ne fonctionne pas. Si, au contraire, vous êtes forcés de ré-analyser parce que ce n'est que dans votre tête, trouvez une autre solution, sinon vous n'aurez rien. Tout, dans vos vies, est dirigé dans le même sens. Apprendre le vécu au travers de vos expériences, dans les pensées ou les gestes, doit se faire tout seul, sans efforts. Et pour ce faire, vous devez le ressentir totalement, sinon vous n'aurez rien... que des pensées. Et des pensées qui demeurent trop longtemps en vous ne sont que des rêves, pas des réalités. Est-ce un peu mieux ?

Oui. *(Luminance, II, 08-05-1993)*

Est-ce que vous pouvez élaborer sur la dynamique même de la pensée ?

Pensée veut dire énergie. Penser veut dire créer, non pas une création au niveau matériel, mais une transposition de vos formes vers la matière. Penser est une énergie dirigée, construite de façon à avoir du pouvoir, pas uniquement dans vos bras ou dans vos formes, mais dans ce que vous ne pourrez même pas changer. En voici un exemple. Certaines personnes entretiendront des pensées – nous n'irons pas profondément dans ce cas mais l'ensemble sera bien compris – qui auront des effets négatifs parce qu'elles s'empêchent de croître, parce qu'elles endurent, parce qu'elles ne sont pas elles-mêmes. Vous direz : « Oh ! ce n'est qu'une pensée. » Mais cette pensée, c'est de l'énergie qui circule dans vos formes; c'est dirigé. Lorsque vous la dirigez, elle peut avoir des effets négatifs sur vos formes en leur apportant des programmations contraires à leur programmation et cela entraîne maladie sur maladie, ou encore elle peut être exprimée au niveau des muscles, même ceux de la bouche, qui sont parfois plus puissants que les autres. Peu importe. L'énergie est avant tout pensée. Nous sommes cela. L'Ensemble est comme une grande pensée. Nous avons souvent dit que nous ne pourrions pas lever un seul de vos cheveux, ce qui ne veut pas dire que nous ne pouvons pas les faire lever par d'autres. C'est différent. Une pensée, c'est de l'énergie; au niveau de vos formes, c'est créé dans vos cerveaux de façon que ces énergies conduisent à des résultats. C'est cela une pensée, pas autre chose. Donc, si vous apprenez à maîtriser vos pensées, vous apprenez à maîtriser toute votre vie et ceux qui sont autour de vous. C'est ce que les dirigeants font et c'est pourquoi ils dirigent, parce qu'ils ont cette habileté.

Est-ce qu'une forme qui a appris à avoir une pensée en harmonie avec son Âme peut devenir éternelle ?

Au niveau cellulaire de vos formes, cela aurait toute chance de réussir et ce serait même l'idéal, mais ce n'est pas ce qui vous est enseigné. Que feraient vos sociétés avec six milliards d'individus vivant 300 ans ? Et si nous vous posions une seule question : accepteriez-vous un emploi devant durer 250 ans suivi de 50 ans de retraite ? Une fois arrivés à 50 ans, la majorité des gens sont fatigués de vivre leur travail. S'il fallait que nous leur disions qu'ils doivent vivre encore 250 ans d'emploi, laissez-nous vous dire que ce ne serait pas bien vu ! Vous avez basé votre monde sur tout cela dès vos naissances. Idéalement, vous avez raison – et c'est tout à fait cela le secret – parce que votre forme aurait alors suffisamment d'énergie pour renouveler chacune de ses cellules en tout temps, parce qu'elle aurait accès à un monde de connaissances non écrites provenant d'un peu partout dans l'Univers et qui vous traverse tous les jours sans que vous en soyez conscients. Aucune invention n'est une invention. Vous ne vous êtes jamais demandé pourquoi certaines personnes pouvaient inventer invention sur invention – nous emploierons le terme invention dans le présent contexte. C'est très simple. Ils perçoivent, ils voient ce que d'autres n'arrivent pas à voir. Ils reçoivent des connaissances sous forme d'images et créent; nous devrions plutôt dire qu'ils les adaptent à votre monde actuel, mais ils ne sont pas moins créatifs pour autant. Cela fait partie de ce que vous appeliez un peu plus tôt bibliothèque universelle. Vous pourriez aussi nous demander si une pensée a une limite. Une pensée a-t-elle une limite de distance au niveau directionnel ? Non, elle n'en a pas. Ce qui veut dire que, si une personne pense avec force et retransmet bien sa pensée, celle-ci est émise et ne s'arrête pas. Il n'y pas de distance. Elle ne tourne pas seulement autour de votre monde, elle est projetée, comme vos ondes de radio et de télévision, et d'autres la reçoivent. Si vous vivez avec des gens sensibles, même s'ils ne perçoivent pas la pensée comme un tout et n'en profitent pas, ils en percevraient les effets et cela ferait réagir vos formes aussi. En fait, votre forme est complexe et simple. *(L'envol, IV, 30-05-1992)*

Pouvez-vous expliquer ce qu'est une pensée dirigée ?

Une pensée dirigée est une pensée créatrice, c'est une pensée que vous croyez réelle. Prenons un exemple. Supposons que les gens vous perçoivent comme étant une personne très forte, mais qu'en réalité vous aimeriez être perçue comme une personne sensible, alors les gens qui vous côtoieront avec un peu d'imagination... Une pensée positive dirigée vers une personne dans le but de la convaincre vous convaincra vous-mêmes bien avant et vos agissements en seront changés. Vous avez vécu cela il y a six jours. Vous avez reçu plusieurs pensées positives dirigées et vous vous en êtes données plusieurs. Les pensées dirigées sont toujours dirigées vers vous, car vous serez toujours ce que vous penserez et cela modifiera votre raisonnement et la perception que les autres auront de vous. *(Les pèlerins, III, 05-05-1990)*

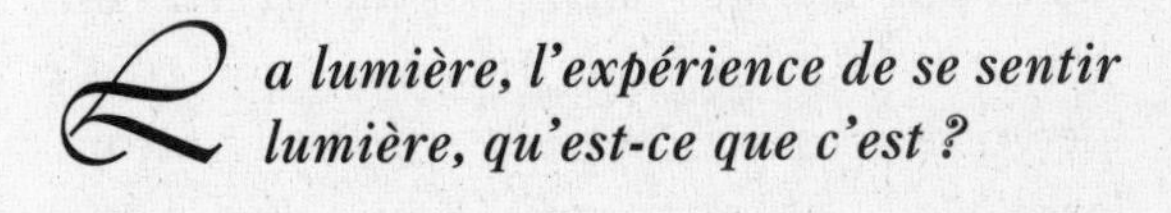

La lumière, l'expérience de se sentir lumière, qu'est-ce que c'est ?

C'est simplement, pour votre cerveau, une façon de traduire la compréhension de l'énergie. Tout simplement. Si vous étiez dans la matière, au centre même, vous la verriez en lumière parce qu'elle est en effet énergie. Votre cerveau ne peut traduire cela autrement parce qu'il traduit la base de ce qu'est l'énergie même. Donc, le fait de vivre ou de voir des lumières s'explique très simplement, comme ceux qui nous perçoivent lors de sessions lorsque nous sommes dans cette forme [Robert]. Ces gens perçoivent l'énergie autour de la forme parce qu'elle a été retraduite par leur cerveau comme étant une certaine force à un tel endroit. Leur sensibilité fera en sorte qu'ils auront traduit cela par de la lumière. Plus l'énergie sera forte ou selon le taux de vibration de la personne elle-même, elle verra, mais pas visuellement parce que ce sera une *création* visuelle. Donc, elle ne verra pas dans les faits, mais au niveau conscient créatif. Si vous êtes dans une partie de votre sommeil, entre le sommeil profond et l'éveil, et que vous vous attardez à ressentir autour de vous, vous pourriez recréer des êtres, en fait tout ce que vous voudrez, pourvu que cette énergie soit près de vous. Donc, vous recréez ce que vous pensez être; et selon la foi que vous aurez dans ce que vous ressentirez, vous verrez plus ou moins de luminosité. Mais cela ne veut pas dire que la lumière que vous voyez au niveau de vos cerveaux lorsque vous êtes en très profonde relaxation n'est pas vraie.

Au contraire, votre perception est exacte. C'est l'énergie de votre cerveau qui, dirigée dans un point très fixe, devient vraiment visible. Autrement dit, c'est l'énergie qui se voit par elle-même, mais ce n'est pas le type d'énergie dont vous parlez dans votre question. *(L'essentiel, III, 17-10-1992)*

Avant la session, vous avez demandé à cette forme [Robert] s'il était possible de ressentir, de percevoir l'énergie au-dessus d'un tombeau, en l'occurrence celui du frère André. Ce n'est pas la dépouille de cette forme que vous percevez, mais la matière qui a absorbé l'énergie de tous les souhaits des gens qui y viennent. La matière elle-même peut absorber l'énergie. Et lorsque des milliers de personnes qui n'ont pas appris à diriger leur énergie sur eux-mêmes parce qu'ils n'en ont pas la foi vont dans ces endroits, que font-ils ? Ils dirigent constamment leurs énergies à l'extérieur lorsqu'ils font une demande. Vous-mêmes, lorsque vous priez vraiment, lorsque vous mettez toute votre ferveur dans la prière, ce sont vos énergies que vous dirigez hors de votre forme. Vous le faites d'abord par la pensée et, comme la pensée peut créer, c'est toute votre forme qui extériorise. Placez plusieurs milliers sinon plusieurs millions de personnes devant un monument quelconque et c'est le site entier qui porte ces énergies. Voilà l'explication de ces centres de pèlerinages. Les gens peuvent, s'ils le veulent, recevoir ces énergies et se guérir. Dites-vous bien que les gens qui vont dans ces endroits n'attendent rien d'eux-mêmes mais plutôt de l'extérieur d'eux. Tout dépend de ce qu'ils font avec leur pensée. Si quelqu'un a l'habileté nécessaire, par exemple la foi en une guérison, et qu'il va vraiment à ce genre d'endroit avec la foi de guérir, de recevoir, si sa foi dans le personnage est suffisamment forte, ce ne sera pas le personnage lui-même mais toute l'énergie du site que cette personne recevra. Bien souvent, ces gens sont très inconscients. C'est ce qui explique les guérisons soudaines. Cela n'a rien à voir avec de vieux ossements. Il se produit la même chose avec des reliques. Ce n'est pas la relique elle-même qui est en cause mais tout le site qui l'entoure. Remarquez, cela pourrait être une statue de plâtre. Pour revenir à votre question, il est normal de percevoir des énergies sur la tombe du frère André. Dites-vous bien que les gens vont même jusqu'à toucher cette matière ! *(L'envol, III, 09-05-1992)*

Quand on sent des énergies négatives, y a-t-il un moyen de les nettoyer ?

Si vous ressentez des émotions négatives ou des événements négatifs en vous, c'est que vous les connaissez. Si vous les connaissez, vous avez donc deux choix. Quels sont-ils ?

De dire qu'on ne les veut pas et donc de s'en débarrasser, ou de les garder.

Et donc de les vivre. Si vous les gardez, vous allez les vivre. Recommencez cette question de la même façon encore une fois.

Quand on sent des énergies négatives...

Stop, ou arrêt, peu importe. Pourquoi ressentez-vous des énergies négatives ?

Parce qu'on ne pense pas à nous-même et à être heureux ?

Exactement. Trouvez-vous que votre question a du sens ?

Pas vraiment.

Vous devriez dire oui, mais que vous ne la poserez plus.

Quand on ressent ces énergies négatives dans une pièce, dans des endroits où l'on est, doit-on quitter ces endroits-là ?

Donnez-nous un exemple, autrement nous pourrions y répondre pendant huit heures selon tous les événements de la vie.

Quand on emménage quelque part et qu'on sent des choses négatives, qu'on ne se sent pas bien...

Où ?

Dans les pièces de l'endroit.

Très bien. Étant donné que votre question n'est pas la même qu'au début – puisque nous aurions pu nous ajuster sur des individus – mais s'adapte à la matière, rappelez-vous ce que nous avons mentionné au début de cette session au sujet de la tombe du frère André. Nous avons dit qu'il y avait des énergies positives totalement perceptibles à cet endroit. Mais il arrive aussi que la matière emmagasine ce qui est négatif. Prenez l'exemple d'une pièce ou d'un appartement où il y aurait eu violence, douleur, ou même mort, un endroit où cela aurait été vécu de façon très négative pendant quelques mois. Si cela a été vécu avec une intensité profonde, les murs, les meubles surtout s'il y en a, en garderont l'empreinte. Vous le revivrez selon votre sensibilité, sans le comprendre, mais vous le revivrez comme si cette nouvelle programmation revenait vers vous, même si vous n'en étiez pas la cause. La matière a cette propriété. Vous avez tous vécu cela au moins une fois dans votre vie. Lorsque vous prenez des vêtements appartenant à quelqu'un d'autre, vous ressentez l'autre. Avez-vous déjà essayé de porter un vêtement ayant appartenu à une personne que vous n'aimez pas ?

Non.

Nous ne vous le suggérons pas non plus parce que vous ne vous sentirez pas bien, non pas parce que ce vêtement appartient à quelqu'un d'autre, mais parce que cette matière a emmagasiné des vibrations. Ce n'est pas plus compliqué que cela. En fait, c'est même très simple. Si vous allez dans un endroit où vous sentez des vibrations négatives, que vous avez cette sensibilité extrême de les percevoir et que cela ne vous convient pas, changez d'endroit. Si vous n'avez pas le choix, reprogrammez les lieux; ne les laissez pas vous envahir. Comment faire ? En changeant votre état d'être, en étant contraire au lieu. Cela prendra environ trois jours, mais vous ne devez pas cesser pendant ce délai, jusqu'à ce que vous ressentiez la matière qui vous entoure comme étant vous-même. Rappelez-vous que, si vous pouvez percevoir, vous pouvez aussi redonner, émettre. Si cela avait été causé par des individus, comment auriez-vous réagi ?

En n'étant plus en contact avec ces gens-là.

Et vous pourriez réagir de la même façon qu'avec la matière. Vous les percevez ? Faites-vous percevoir, émettez votre réalité jusqu'à qu'ils perçoivent à leur tour. Cela aussi fait des miracles, surtout chez ceux qui n'arrivent pas à comprendre et qui subissent. *(L'envol, III, 09-05-1992)*

On peut être tout seul dans une salle et sentir qu'on filtre les choses. D'où cela provient-il ?

Cela peut provenir des sols eux-mêmes ou des gens qui ont vécu ou passé à ces endroits, ou encore des faits passés. Peu importe le nombre d'années, cela n'a pas d'importance, car le temps n'existe pas. Il peut aussi s'agir d'Entités qui vous observent. Étant donné que vous êtes seuls, plus ouverts, vous percevez davantage. C'est donc une question d'ouverture. Donc, cela peut provenir du lieu, des Entités ou du moment où vous êtes prêts à les entendre, à les percevoir. Prenez cela plutôt comme une démonstration de votre ouverture. Vous aurez toujours le choix d'éloigner ces vibrations qui ne vous conviennent pas. *(Les Âmes en folie, III, 22-06-1991)*

Il peut nous arriver d'avoir des excès de colère qui nous font visualiser des projections sur une autre personne. Est-ce que cela a un impact sur elle ? Si oui, comment déprogrammer l'énergie pour que la personne ne soit pas affectée par ces excès que nous avons eus envers elle ?

C'est une très bonne question et c'est la première fois qu'elle nous est posée.

Effectivement, certaines personnes ont la capacité de modifier les énergies d'une personne à distance. Elles agissent non pas directement mais indirectement. Chez la personne visée, cela peut causer des problèmes aussi importants que le cancer. Cette aptitude n'existe que chez certaines personnes, pas chez toutes. Certaines personnes ont effectivement la force nécessaire; elles sont peu nombreuses toutefois. La colère n'est pas autre chose qu'une inaptitude à agir à mesure que vous vivez. Ce sont des parties de vos vies que vous refoulez parce que vous refusez de régler à mesure ces problèmes. Bien souvent, vous dirigez vos colères vers les autres, mais elles devraient l'être aussi vers vous, parce que vous n'avez pas agi à temps et que vous vous en voulez de ne pas avoir agi avant. Vous savez, la colère est une justification physique. L'action quotidienne n'a pas besoin de colère. Regardez les gens qui s'expriment tous les jours, qui ne gardent rien en eux; ce ne sont pas des gens qui vivent des colères. Par contre, ceux qui refoulent au dedans d'eux, ceux qui endurent, ceux-là s'expriment avec de la colère. La colère a deux buts. Vous l'exprimez autant contre vous-même que contre les autres.

Si on a fait de la projection envers une autre personne, est-ce qu'on peut défaire cette projection pour ne pas qu'elle soit affectée par cette colère ?

Cela demandera encore plus de pratique, mais c'est faisable. Il s'agit de visualiser le contraire de ce que vous aurez souhaité. Mais bien souvent, cela se retourne contre la personne elle-même. Les gens qui ont cette aptitude peuvent aussi se le faire à eux-mêmes, vous savez. Et de faire travailler ces énergies n'est pas toujours souhaitable parce que cela revient toujours vers celui qui pense, un jour ou l'autre. Dites-vous bien une chose : lorsque vous agissez ainsi envers une autre personne et que c'est valable, l'autre le ressent. Donc, son attitude changera, son comportement se modifiera et, d'une façon ou d'une autre, cela se retournera contre vous. Avant de passer votre colère sur quelqu'un d'autre, passez-la sur vous-mêmes. Demandez-vous si, quelque part, vous n'avez pas un peu de responsabilité dans cette colère. Vous appelez cela l'examen de conscience. *(Renaissance, III, 09-11-1991)*

Comment peut-on se protéger des champs énergétiques d'autres personnes, et plus précisément de ceux qui nous vident de nos énergies ?

Vous apprendrez cela au deuxième atelier [*Pas de plus*] parce que cela ne peut se montrer dans une session; nous l'avons déjà montré à cette forme [Robert]. Mais la première façon, celle que nous vous avons apprise dans cette session, c'est d'apprendre à garder pour vous ce qui vous convient, à ne pas vivre la vie des autres mais la vôtre. Ce faisant, vous établirez déjà des limites. Lesquelles ? Vous établirez votre propre taux vibratoire, donc votre propre champ magnétique autour de la forme. Dès que vous reconnaissez cela, vous apprenez à rejeter l'énergie des autres.

D'un point de vue physique, lorsqu'on s'approche de quelqu'un, ce qu'on peut ressentir de négatif...

Fort bien. Ce que vous ressentez de négatif chez une autre personne, c'est parce que vous l'avez déjà vécu, sinon vous ne pourriez le reconnaître. Si vous ressentez du négatif dans une autre personne, rechangez cela pour quelque chose que vous aurez déjà reconnu comme positif dans votre vie. Cela annulera ce taux vibratoire et vous cesserez d'être dans les champs magnétiques des autres. En d'autres termes, vous vivez ce que vous reconnaissez. Si vous ne le reconnaissiez pas, c'est que vous ne l'auriez pas vécu, et cela ne vous toucherait pas. Donc, vous avez le choix de le vivre ou de le rejeter. *(L'essentiel, II, 23-09-1992)*

Les Indiens [Amérindiens] disent qu'il y a cinq types fondamentaux d'énergie, que chaque personne correspond à un de ces types et peut vivre des initiations grâce à cela, ce qui la mène à l'Âme soeur. Qu'est-ce que vous pensez de cette théorie-là ?

Pour cela, il faut que vous compreniez leurs théories. Les Indiens avaient une conception du mal et du bien fort différente de la vôtre. Ils avaient identifié aussi des dieux du bien et des dieux du mal. Plus souvent qu'autrement, ces dieux étaient associés aux animaux; ils avaient des corps humains mais des têtes d'animaux. Il n'y a pas que cinq types d'énergie réels dans vos formes. Si vous faites référence aux différents taux de vibration de vos formes, il existe alors des milliards de types d'énergie car il n'y a pas deux personnes ayant des vibrations identiques, tout comme elles n'ont pas les mêmes pensées non plus. Dans vos formes, l'énergie de base est la même. N'associez pas cela avec l'énergie de l'Âme, qui est une énergie différente et indépendante de vos formes. Vous pourriez l'associer aux différents points d'énergie de vos formes que vous appelez les chakras; ces points vibrent différemment. À ce niveau, vous pouvez parler de différents points d'énergie mais pas de types d'énergie.

Quand on parle des énergies qui correspondent aux éléments, comme dans le jeu de tarot, on dit la coupe, l'épée, le bâton; tout cela correspond à un élément selon le type de personne.

Vous trouvez cela simple ?

Pour moi, c'est devenu simple. Je peux reconnaître une réalité qui est là-dedans. Au début, je n'ai pas trouvé cela simple, mais depuis quelques mois, je trouve cela simple. Je ne sais pas si c'est absurde.

Nous n'avons jamais employé ce terme. Si cela peut vous paraître une dimension valable... quoique nous trouvions qu'il y a eu plusieurs détours pour exprimer cela. Il faut bien comprendre que, si selon votre niveau de compréhension cela vous simplifie la tâche de comprendre qu'il y a de l'énergie en vous, comme dans les autres, tant mieux. N'en voyez pas dans les objets toutefois. Ce que nous vous disons, c'est qu'il n'y a pas cinq types d'énergie. Il n'y a qu'une seule énergie de base dans chaque forme, qui est différente de celle de l'Âme, et selon les régions de vos formes, ces niveaux peuvent s'altérer; nous ne parlons pas de formes qui sont malades mais de celles qui sont en santé. Dans le sens que vous mentionnez, cela pourrait faire une très longue histoire. Mais il n'y a quand même qu'une seule forme d'énergie, et non cinq.

Donc, ce n'est pas une connaissance qui est valable en soi ?

Nous vous avons répondu que cela pourrait faire une belle histoire, qui pourrait faire l'objet d'au moins un livre, et même deux.

Tout de même, cette théorie est fort complexe, elle n'est pas aussi simple que vous le dites. Il faut l'associer à la religion des Indiens pour comprendre les fondements de leurs explications, ne l'oubliez pas. Cela ne provient pas seulement de leur religion, mais aussi des méthodes employées pour leurs soins, car les Indiens étaient des êtres visuels et ils guérissaient par la visualisation. Nous passons sous silence les potions. Pour leurs guérisons, ils associaient aussi les maladies avec les vibrations que vous mentionnez. Ils n'avaient pas fait d'études pour cela, donc ils y allaient par comparaison; cela s'est répandu et est devenu la théorie des cinq niveaux d'énergie. En fait, il y en avait beaucoup plus que cela au début, selon eux. Vous voulez une bonne suggestion ? Ne vous compliquez donc plus la vie avec cela. Vous avez une autre question à ce niveau ? *(Alpha et omega, II, 21-07-1990)*

J'aimerais que vous nous parliez de polarité, comment fonctionne cette énergie-là ?

Vous parlez de l'énergie de vos formes ?

Oui.

De notre côté, cela n'existe pas. Par contre, pour que vos formes puissent être équilibrées et aussi à cause des attractions qu'exerce votre planète sur vos formes, la polarité doit exister. Surtout ne compliquez pas cela en pensant que l'Âme est l'énergie de vos formes. Elle n'est pas la même forme d'énergie. Vos Âmes ont une forme d'énergie fort différente de celle qui anime vos formes. Cependant, celle qui régit vos formes se doit d'être de pôles différents pour que vos cellules puissent être actives. C'est fort similaire à ce que vous appelez le courant électrique. C'est fort similaire, mais ce courant est produit par le coeur, par les frictions dans vos veines. Toute cette énergie, celle qui régit vos formes, est fort mécanique, vous savez. Lorsqu'il y a des manques, il y a des gens fort habiles qui peuvent rétablir ce que vous appelez les noeuds d'énergie. Pour cela, vous avez développé une compréhension des points de rencontres que vous appelez les chakras. Ce n'est qu'une infime partie de la vérité. Les chakras sont des points plus facilement identifiables cependant. Nous allons vous donner un exemple pour bien vous le faire comprendre. Lorsque vous utilisez votre voiture, l'énergie de la pile active le circuit de la voiture; puis une génératrice fait en sorte de renouveler ce courant dans votre voiture, tout comme le fait votre coeur. Vous utilisez ce courant d'énergie sous diverses formes, par l'éclairage par exemple. Vos formes, quant à elles, absorbent de l'énergie grâce à la nourriture. Et vous avez plusieurs façons de vous alimenter, tout comme vous alimentez vos voitures de différentes essences. Le principe est similaire dans un sens. S'il n'y avait pas de conducteur dans le véhicule, celui-ci ne serait pas utile; il serait en inactivité. C'est la même chose pour vos formes. Si votre Âme n'y était pas, quelle serait l'utilité de la forme elle-même ? Quel serait son but ? Le même but que les animaux ! Est-ce pour cela que plusieurs se plaisent à dire que vous descendez des singes ?... Cela sort de leur compréhension que vous veniez d'ailleurs. À ceux qui croient encore qu'ils descendent des singes, nous tenons à faire remarquer qu'ils laissent des membres de leur famille en liberté alors qu'ils en enferment d'autres dans des parcs ou des zoos. Serait-ce que ceux-ci n'ont pas été à l'école ? Ils ont oublié de regarder les autres changer ? Foutaise ! Les singes descendent des singes, mais pas vous... même s'il y en a qui s'amusent à faire des singeries. L'exemple des singes mis à part, comprenez-vous mieux ce qu'est l'énergie ?

À la deuxième session, vous avez parlé de polarité et de maladie, et dit que l'important, c'était la confiance. Qu'est-ce que vous entendiez par là ?

En ce qui concerne la polarité, nous référions aux gens qui guérissent les autres. Ces gens peuvent utiliser des méthodes qu'ils croient appropriées en utilisant des polarités différentes, mais ils ne les appliquent pas comme elles doivent l'être, ce qui ne fait que changer et modifier l'énergie de vos formes. Il n'y a pas 10 000 types d'énergies dans vos formes, mais une seule dont vous pouvez abaisser et élever le taux. Qu'arrive-t-il lorsqu'un circuit électrique est surchargé ? Les fusibles brûlent ou les disjoncteurs sautent. Qu'arrive-t-il lorsque vos formes sont suractivées ? Elles ont ce que vous appelez des burnouts; vous faites brûler vos fusibles. C'est une explication simple, nous le savons, mais c'est tout de même la base de l'explication. Cela peut amener à plusieurs états de découragement. Il y a des gens qui veulent aider les autres mais qui ne sont pas équilibrés eux-mêmes. Donc, ils suractivent les autres formes et, lorsque cela débute, ces formes continuent d'augmenter leurs énergies. Si elles n'ont pas pu s'équilibrer, il y a de fortes chances pour qu'elles continuent d'augmenter leur taux et, si le processus continue, il peut mener à plusieurs phases du cycle de la santé, du simple découragement au suicide. Par contre, il y a des gens qui, en voulant augmenter ce taux, ne s'y prendront pas bien et le diminueront. Chez des formes fort déficientes, cela entraînera des problèmes d'organes et des problèmes d'équilibre de la forme totale. C'est pour cette raison que nous disons toujours qu'il vous faut être fort prudents lorsque vous touchez à l'énergie des autres. Ceux qui le font devraient toujours connaître leur propre taux d'énergie et savoir si c'est souhaitable pour les autres ou non. Beaucoup en font une question monétaire. Surproduction ! Comme s'il n'y avait qu'un seul taux d'énergie, comme si vos pensées pouvaient être ajustées ! Il n'y a que votre pensée qui peut rétablir votre taux d'énergie. Si vous utilisez des forces extérieures pour le faire, votre forme pourrait réagir de façon contraire. Est-ce plus clair ?

Oui. *(Les colombes, III, 04-08-1990)*

Qu'est-ce que c'est au juste l'énergie, d'où vient-elle et qu'est-ce qui arrive avec cette énergie-là ?

Très bonne question ! En fait, vous mélangez tout : énergie dans vos piles, énergie dans les muscles. Tout est énergie : les éclairs, pas les éclairs au chocolat mais les autres... quoique les éclairs au chocolat produisent aussi de l'énergie. Vous mélangez tout. Actuellement, il est à la mode de replacer les énergies, comme si vous pouviez inverser le nord et le sud dans votre monde actuel ! Foutaise que tout cela ! Vous ne modifierez pas vos énergies en appliquant les mains; vous pourriez obtenir un certain résultat, mais cela se déferait tout aussi rapidement. Ce ne sont pas les autres non plus qui replaceront les courants électriques de vos formes, car ils sont modifiés au gré de vos pensées aussi certainement que les vents déplacent vos nuages. Dans vos formes, vos énergies sont continuellement en mouvement, en changement, en hausse et en baisse – entendez par énergie l'électricité dans vos formes. Si vous voulez, vous pouvez appeler énergie cette sorte de courant car c'est une sorte d'énergie, c'est un pouvoir. C'est pour vos formes. Effectivement, certaines personnes très habiles peuvent modifier ce courant par des méthodes très connues. Mais ce n'est pas pour le mieux parce que, si vous rétablissez les courants d'énergie dans vos formes, voire leur électricité, même à très faible niveau, et que vos pensées les avaient modifiés dans le but d'apporter une certaine compréhension, vous n'allez que vous apporter des problèmes plus grands. Il n'y a pas une seule personne ici qui ne puisse d'elle-même replacer les énergies dans sa forme. D'elle-même. C'est très simple : fermez seulement les yeux, apprenez à respirer et donnez-vous une chance de vous reposer. De cette manière, vous ne mettrez pas de pression inutile sur vos formes et les énergies circuleront. Combien de fois n'avons-nous pas vu vos formes imager des situations comme ceci : « Mon travail me fait mourir », « Je suis tellement tanné [las] d'être marié avec cette personne que je vais mourir avant mon temps », « Cette personne m'étouffe ». Effectivement, vous vous étouffez ! Vous vous créez ces pressions qui forcent vos formes à modifier d'elles-mêmes ces courants à l'intérieur d'elles. Donc, mieux vaut trouver la cause des modifications d'énergie que de les guérir inutilement puisque les déséquilibres se referont ailleurs et de façon plus sévère. Et alors, ce ne sera pas uniquement des passe-passe de la main qu'il vous faudra, mais le bistouri ou des moyens semblables. Vos formes ont trouvé depuis des siècles comment se punir. Elles se sont fiées à l'extérieur pour les guérir. N'est-il pas plus sensé de penser que, si elles ont la force d'être malades, elles savent aussi comment se guérir ? Mais le voulez-vous vraiment ?... Vous avez donc cette première forme d'énergie qui est cette électricité qu'il y a dans vos formes et qui est votre réalité physique. Vous avez aussi une deuxième forme d'énergie, l'électricité plus consciente de votre Âme. Sous des niveaux fort différents, cette énergie peut très bien s'adapter un tant soit peu à celle de vos formes pour vous stimuler, pour vous encourager, rehausser vos niveaux de vie, vous guérir aussi parfois. C'est aussi une possibilité, si vous laissez faire votre Âme bien sûr. Ceux qui diront qu'il y a 7, 8, 9, 10 corps, feraient mieux de les compter devant un miroir. Il y a fort à parier qu'ils n'en verraient qu'un seul, mais plusieurs personnalités par contre. Rendez-vous la tâche facile, prenez-donc une seule explication, la plus simple. D'ailleurs, les moyens les plus simples ont toujours réussi. Les autres, vous y pensez encore. Y a-t-il une sous-question ?

Je ne suis pas sûr d'avoir bien compris. Les médecins de médecines parallèles qui disent travailler sur les énergies feraient un travail inutile et même dangereux ?

Leur traitement peut entraîner un soulagement temporaire. Cela peut vous sembler être un soulagement permanent, mais si vous forcez vos formes, elles réagiront autrement. Il n'y a pas une seule cellule dans vos formes, pas une seule, qui ne sache pas ce qu'elle est, même celles qui composent vos ongles. Les cellules font leur travail; elles communiquent entre elles; c'est leur réalité. Forcez-les à changer et vous verrez ce qu'elles pourraient vous montrer. Vous n'obtiendrez rien de force avec vos formes. Médecine douce, dites-vous... médecine tout de même ! Nous vous l'avons dit, vos formes savent comment vous rendre malades et elles savent aussi comment vous guérir. Lorsque vos cellules se renouvellent dans vos formes, peu importent lesquelles, elles ne se renouvellent pas déjà malades. Lorsqu'une feuille pousse dans un arbre, elle est aussi nouvelle que la première feuille, même si c'était 300 ans auparavant. Elles ne poussent pas vieilles, elles poussent neuves. Comprenez-vous mieux ? Vous vous programmez et, lorsque ce n'est pas assez compliqué, vous recompliquez tout cela puis, lorsque vos médecines sont très sévères pour vos formes, vous trouvez des médecines parallèles, selon votre expression; mais parallèle veut dire qui se suit, qui se côtoie. Oh ! elles vont plus doucement, direz-vous, mais si vous ne soignez pas la cause, vous ne soignez rien. Bien souvent, l'intuition envers vous-mêmes, une pensée honnête envers vous-mêmes est beaucoup plus forte qu'une médication. *(Symphonie, I, 06-04-1991)*

Est-ce que la perception de l'énergie christique et son utilisation dans le travail de guérison, c'est complètement de la foutaise ou si cela peut être quelque chose de valable, en dehors de la forme de Jésus et qui serait peut-être relié à l'ensemble ?

Cela pourrait être pris de cette façon, mais lorsqu'il s'agit de l'énergie de vos formes – appelez cela énergie christique ou autrement selon vos convictions –, si vous croyez que cela peut vous donner des forces, utilisez-le. Si ce n'est qu'un jeu de mots, cela devient des guerres d'inutilité. De toute façon, vous pouvez fort bien utiliser vos formes pour en aider d'autres, que ce soit au niveau des énergies ou autrement. Il faut bien comprendre lorsqu'il s'agit de guérison que, si vous tentez d'aider une personne de force, qu'elle ne le veut pas, il n'y aura pas de résultat. Par contre, si une personne vous demande votre aide parce qu'elle a un problème, par exemple à l'estomac, et que vous rétablissez un point d'énergie correspondant à cet organe, mais qu'en fait vous n'avez pas soigné la cause elle-même, cette personne reviendra vous voir pour des problèmes d'intestins, puis des problèmes de foie, etc. Donc, vous pouvez aider, mais la meilleure façon d'aider son prochain – comme il a été écrit d'ailleurs –, c'est de l'aimer comme vous-mêmes. Pas facile, n'est-ce pas ? Mais à quel point vous aimez-vous aussi ? À quel point vous acceptez-vous vous-mêmes ? Vous aiderez les autres dans la mesure où vous vous aiderez vous-mêmes. Si vous vous considérez comme une personne heureuse, équilibrée et que cela vous procure l'harmonie, vous aiderez les autres qui auront besoin de vous. Au contraire, si vous vous savez consciemment posséder des blocages, bonne chance si vous voulez aider les autres ! Vous devez savoir aussi que, lorsque vos formes ont une pensée juste, équilibrée, elles s'équilibrent d'elles-mêmes. C'est aussi certain que vos formes respirent toutes seules. *(Alpha et omega, III, 18-08-1990)*

Est-ce qu'il y a un moyen d'apprendre comment aider une personne avec des cristaux ?

Les cristaux sont des matières pouvant absorber et retransmettre des vibrations. Dans le passé, nous avons observé beaucoup de personnes qui utilisaient le quartz. Il y a un très grand danger à cela, surtout chez ceux qui en achètent n'importe quand, en croyant pouvoir s'énergiser, en croyant pouvoir attirer l'énergie ambiante. Foutaise que cela ! Cela détruit vos formes plus qu'autre chose. Les cristaux sont des outils, il faut bien le comprendre. Une personne qui peut faire vibrer cette matière au taux vibratoire auquel cette matière est habituée de vibrer ne va pas charger cette matière d'énergie, mais la retransmettre. En ce sens, les cristaux peuvent être utilisés non seulement pour vos horloges mais aussi pour vos pensées. En fait, c'est une matière qui stabilise. Si vous augmentez l'énergie d'un cristal, vous modifiez la vôtre et les modifications de comportements suivront. Sachez une chose : si vous modifiez sans raison les taux vibratoires de vos formes, vous allez rejoindre ces cailloux. Considérez-les comme des outils; c'est utile. Chez certaines personnes, une simple perle peut aider à équilibrer. Pour ceux qui soignent, le cristal de quartz est une bonne idée, mais pas pour une personne malade. Vous savez pourquoi ? C'est encore plus simple. Le quartz prendra le taux vibratoire de la personne malade et la gardera à ce taux. Il faudra alors deux fois plus d'efforts à cette personne pour s'en sortir. Ce n'est pas si dur que cela à comprendre puisqu'un vulgaire caillou peut aussi faire une différence. Tout dépendra de vos habiletés, soit à vibrer comme cette matière soit à en augmenter les vibrations. Si, par contre, vous prenez des résines, elles auront l'effet contraire. L'ambre, par exemple, va plutôt stabiliser rapidement. C'est différent. Il agit comme une éponge. Tout dépendra de ce que vous voulez obtenir. Que font les gens qui portent un quartz à chaque oreille ? Trouvez-vous cela normal ? C'est une belle niaiserie ! S'ils savaient ce qu'ils font, ils ne le feraient jamais. Nous avons même observé des quartz portés autour du cou, en collier de plus de 100 cristaux. Vous vous demandez pourquoi ces gens ont des cancers ? Plusieurs font exprès sans le savoir. Continuez votre question.

Est-ce qu'il y a un moyen d'enlever le négatif d'un cristal et de le charger positivement ?

À la base, il est toujours positif. Ce qui est négatif, ce sont ceux qui l'utilisent. Ils le rendent négatif; voilà la différence. Nous avons souvent observé des formes faire ce que vous appelez des passe-passe pour essayer de rendre des matières positives.

Quelle foutaise que cela ! Quelle perte de temps inutile ! Si vous vous sentez négatifs en abordant une matière, croyant qu'elle l'est, vous allez la rendre instantanément négative. Comment la rendre positive ? En laissant cette matière de côté pour au moins 20 de vos heures et en abordant de nouveau cette matière en étant positifs vous-mêmes. Ces matières s'ajustent à vos formes et ceux qui ne le savent pas en rendront leurs formes esclaves. Bien sûr, tout dépendra de la quantité et de la qualité de la matière. En fait, tout est positif. Vous rendrez négatif seulement ce que vous ignorerez. Que feriez-vous avec un cristal chargé très positivement, comme vous dites, en très bonne condition, dont vous savez reconnaître les vibrations la majorité des fois, comment l'aborderez-vous certaines journées où vous n'êtes pas positive ?

Je le laisserais de côté. J'irais me charger positivement et je reviendrais le prendre.

Cela ne se fait pas tout à fait comme cela. C'est beaucoup plus rapide que vous ne l'imaginez. Tout dépend encore une fois de l'utilisation que vous en faites. Si vous basez votre vie sur les cristaux, vous perdez votre temps. Si vous les utilisez à bon escient, dans le but de forcer une concentration, de vous modifier au plan cellulaire de façon à pouvoir être différent pour aider, c'est une autre question. Si vous les utilisez dans le but de rendre votre vie plus confortable, vous perdez aussi votre temps. Entre les deux oreilles, vous avez un peu plus d'un kilo et demi de matière qui vibre aussi; vous avez donc le choix d'être positif ou négatif aussi; et vous avez bien plus de choix que le cristal, des milliards et des milliards de choix. Si vous utilisez les cristaux dans le but de guérir, dans le but de modifier votre taux vibratoire, cela réussira bien et vous serez à l'écoute de cela. Mais ne basez pas vos vies sur cela. Il faut bien comprendre aussi que ce ne sont pas des matières à prêter. *(Diapason, I, 21-03-1992)*

Parlez-nous des centres énergétiques de nos propres formes, les chakras. Est-ce qu'on peut les traiter ?

Vos tendances actuelles sont d'aller vers ces points d'énergie, de les traiter, d'en augmenter ou d'en diminuer le taux vibratoire de façon à rétablir certains organes de vos formes. C'est une vérité dans un sens, mais il faut bien comprendre que, si ces points n'ont pas l'équilibre requis, c'est qu'il y a une raison, qu'il y a des organes dans vos formes qui n'ont pas la santé nécessaire, le taux vibratoire idéal. Il y a une raison derrière cela. Si vous allez directement à ces points d'énergie, que vous les stimulez de nouveau, que vous les équilibrez... N'oubliez pas que ces points peuvent dépasser la norme vibratoire ou lui être très inférieurs. D'une façon ou d'une autre, si vous vous amusez à redistribuer l'énergie des points les plus forts vers les points les plus faibles sans comprendre, vous allez déséquilibrer dans votre forme cette fonction qui équilibre automatiquement quand c'est le temps.

En d'autres termes, si un point chargé de redistribuer l'énergie à votre forme est plus faible à certaines périodes et que vous le stimulez de nouveau, vous allez y apporter plus d'énergie que nécessaire et la forme tentera de se rééquilibrer encore une fois. Quand comprendrez-vous que cela peut être utile dans certains cas seulement, et très rarement, dans le cas de formes déjà très malades ! Il faut en même temps faire des changements dans la compréhension. Sinon ce serait comme votre respiration, comme si vous nous disiez : « Est-ce qu'on peut arrêter de respirer ? » Nous vous dirions : oui, mais vous ne vivrez pas. De même, si vous nous demandiez : « Pouvons-nous respirer plus rapidement, très rapidement ? » Nous vous dirions : oui, mais vous allez exciter votre forme et certains organes ne l'accepteront pas. Comprenez bien que vos formes sont très automatisées. La majorité des fonctions, plus de 99 %, n'ont même pas besoin que vous y pensiez. C'est au 1 % qui reste qu'il faut penser, à ce surplus qui déséquilibre tout. Donc, vous pouvez nuire beaucoup plus qu'aider. Dans certains cas, si ces énergies sont apportées sur les organes eux-mêmes, vous apportez une forme d'aide, mais pas aux points mentionnés. Ils sont complètement automatisés dans vos formes et se protègent entre eux. Certains demandent : « Est-ce bon de méditer sur ces points ? » Si vous voulez savoir quels sont les points faibles de vos formes, faites-le. Si vous le faites dans le but d'augmenter l'énergie à un endroit, c'est que vous prendrez l'énergie ailleurs pour la diriger à cet endroit. Si vous commencez à vouloir constamment ajuster vos formes par vos pensées, vos formes vont finir par vous laisser faire et vous serez déséquilibrés pour longtemps. C'est ce qui se passe chez certaines personnes qui, lorsqu'elles se sentent plus faibles, vont faire travailler leurs énergies par d'autres. Bien sûr, elles vous diront qu'elles sont stimulées, qu'elles vont mieux, mais pour combien de temps ? Peu de temps. Jusqu'à ce que leurs formes retombent. Si, pour que vous le compreniez, il faut qu'elles tombent plus bas, elles le feront. Vos formes sont très automatisées, mais vos pensées ne le sont pas. Le jour où vous penserez comme vos formes réagissent, il fera très beau, parce que vous saurez écouter. C'est cela le but de vos formes. Combien d'entre vous – la majorité, nous le savons – n'entendent pas ce qu'il faut dans leur tête. Ils ont des réponses mais ne veulent pas entendre : « Pas tout de suite ! Plus tard... » Vos formes ne s'arrêtent pas comme vos pensées : elles continuent sur votre erre d'aller. Vous pouvez expliquer la dépression par cela aussi. Vous commencez à vivre un événement négatif, puis un deuxième, puis un troisième, et l'habitude s'installe. Vous finissez par rechercher seulement ce qui vous est visuellement négatif; puis votre forme prend la relève, justement pour correspondre à vos pensées, et vous fait sentir ce qu'est le négatif. Puis vos cerveaux réagissent de plus en plus. Plus vous y mettrez de l'emphase, plus vous le vivrez profondément. *(Diapason, III, 16-05-1992)*

Pouvez-vous nous parler des mains comme canal d'énergie dans la guérison ?

Est-ce que ce sera la dernière question dans cette session ? Car il y a beaucoup à dire sur cela ! Nous pourrions vous en parlez pendant des mois. Pour résumer, il nous faut bien vous faire comprendre ce que sont vos formes et vos pouvoirs au niveau des énergies, ce que sont les types de transferts entre les mains, et même la pensée, au niveau des énergies. *(Alpha et omega, II, 21-07-1990)*

Est-ce que de transmettre de l'énergie à quelqu'un ça existe et est-ce que cela leur fait vraiment du bien ?

Qu'entendez-vous par cela ?

J'ai vécu une expérience où je sentais l'énergie passer par mes mains et la personne qui l'a reçue sentait que cela faisait des vibrations au niveau de son thorax. Je me demandais si c'était bon de faire cela ?

C'est bon lorsque les personnes qui le pratiquent sont déjà équilibrées elles-mêmes dans leur vie. Si ces gens sont bien dans leur peau, si vous admirez ces gens, cela agira pour le mieux avec vous. Si vous ne connaissez absolument pas la personne et que vous n'avez pas confiance, demandez plutôt un massage physique qu'un massage énergétique. En effet, le massage énergétique demande une grande confiance, parce qu'il pourrait altérer votre propre niveau d'énergie, pas pour une longue période mais dans les heures qui suivent le massage. Cela peut faire en sorte que, oui, vous trouviez un soulagement; mais d'un autre côté, il se peut que vous en deveniez quelque part esclaves, ce qui vous empêcherait de trouver votre propre énergie. Vos formes ne font que chercher à s'équilibrer, seconde après seconde, vous savez. C'est comme si vos agissements actuels démontraient que vous ne vouliez pas guérir vous-mêmes mais que vous le vouliez par le biais de quelqu'un d'autre. Si cette personne vous apprend comment faire pour vous énergiser comme il faut, pour redistribuer dans votre forme votre propre énergie, si elle se sert de son énergie pour vous le démontrer, c'est très bien. Si elle le fait dans le sens de vous donner un traitement et de vous rendre esclaves d'elle, ce n'est pas bien. Quelque part, cela finira par altérer votre propre énergie et vous désynchroniser complètement. Vous avez bien compris cela ?

Si on parle de guérison... On peut appeler cela guérison parce que les gens nous font vraiment du bien...

Les gens qui vous font du bien sont comme les statues qui guérissent; il vous faut avoir confiance. N'allez pas voir une personne sans avoir la confiance nécessaire ! Il doit y avoir communion entre les deux.

Supposons que je veuille faire de la guérison un jour, est-ce que cela veut dire qu'il faut que je sois complètement en harmonie avec moi-même et bien dans ma peau ?

Tout à fait. Sinon vous allez reprendre l'énergie de la personne qui ne va pas bien parce que vous ne saurez pas distinguer une énergie qui est constamment positive en vous, d'une énergie qui pourrait être négative. Cela demande beaucoup de pratique et beaucoup de foi en ce que vous ferez. Aucun doute, sinon cela fausse votre énergie. Remarquez les gens qui font cela à la chaîne, une personne derrière l'autre. Que leur arrive-t-il ?

Ils sont épuisés.

Tout à fait ! Parce qu'ils ne renouvellent pas assez vite leur propre énergie. Lorsque cela se fait à un certain niveau, c'est la fatigue des autres qu'ils absorbent et cela se retourne souvent en dépression ou en problème physique. Il ne s'agit pas de jouer avec cela. Ce n'est pas un jeu.

J'imagine que la journée où je serai prête à cela, je vais le savoir, je vais le ressentir.

Vous le ferez avec foi, avec une conviction très grande, avec le goût de démontrer aux autres. Cela veut dire que vous ne serez pas sujette à ce que cela se retourne contre vous.

Comment peut-on ressentir qu'on est prêt à faire de la guérison ?

Lorsque vous ne vous sentez pas affaibli; lorsque cela vous rend encore plus heureux de le faire surtout. Lorsqu'à mesure que le ferez, vous deviendrez encore plus épris de la vie qu'auparavant. En d'autres termes, quand les dollars ne seront pas la raison première de le faire, quand vos formes se sentiront elles-mêmes régénérées et non fatiguées en le faisant, vous saurez que vous êtes prêts. Lorsque vous irez aussi par intuition et non pas par la recherche de l'imposition des mains. Enfin, lorsque vous serez guidés de l'intérieur pour le faire et que cela vous comblera de joie. Si cette forme devant vous [Robert] n'aimait pas autant ce qu'elle fait, elle ne le ferait pas.

Nous avons appris beaucoup par cette forme. Comment peut-on aimer autant ? *(Renaissance, III, 09-11-1991)*

Comment savoir ce qui se passe quand j'utilise le reiki ? Comment savoir si c'est une technique que je suis habilité à pratiquer ?

Vous saurez si vous êtes apte à pratiquer le reiki si, en vous, honnêtement, vous en ressentez les bienfaits. Si cela ne se fait pas, ce ne sera qu'un intérêt, une expérience passagère. Tout ce qui travaille sur les énergies des formes demande beaucoup de conscientisation, beaucoup d'expérience pour que vous ne soyez pas vous-mêmes attaqués par cela, pour ne pas avec les années adopter des énergies qui ne sont pas les vôtres, ni vous y adapter. C'est tellement subtil que la majorité des gens ne s'en rendent pas compte et ne sont plus eux-mêmes. Il faut bien comprendre que toutes vos formes ont la faculté de s'adapter continuellement au niveau d'énergie qu'elles auront choisi. Tout ce qui compte, c'est qu'elles apprennent à traduire, pas à vivre les événements, sinon vous allez continuellement vivre vos émotions. Une émotion n'est pas un sentiment. L'amour n'est pas une émotion : c'est un sentiment, un véhicule dans toute la forme. Une émotion vous protège d'une blessure; un sentiment, cela se vit. Une émotion est instantanée, et la majorité d'entre vous n'en veulent pas. Mais regardez ce que vous faites des événements que vous avez à réparer... *(Marée et allégresse, III, 06-11-1993)*

Je pratique le reiki comme méthode de guérison. Vous avez déjà dit que c'était de la foutaise...

Oh ! vous avez mal lu ! Nous avons mentionné que le reiki est une science très personnelle qui, au tout début, n'a pas été montrée pour les autres, mais pour que les gens puissent se guérir eux-mêmes dans la connaissance de leur énergie. Qui a le temps de faire cela ? Donc, il y a eu des gens qui l'ont montré pour guérir les autres. C'est ce que nous avons dit; nous n'avons jamais parlé de foutaise. Nous avons parlé de foutaise relativement aux gens qui le font sans connaissance profonde de ce qu'ils font. Ce qui se passe, c'est que ces gens transmettent leur énergie, ils remontent les autres avec leur énergie au lieu de rétablir l'énergie dans l'autre forme. Pour faire cela, il faut savoir établir d'abord la reconnaissance du niveau d'énergie souhaitable dans une forme à aider et cela demande une très grande préparation, une très grande pratique. Nous avons aussi mentionné que ce qui était le plus important n'était pas seulement de le faire pour l'autre, mais de montrer à l'autre le bien qu'il aurait en l'apprenant. Cette science est une science personnelle qui, si elle est mal enseignée ou mal pratiquée, peut créer de l'habitude, faire en sorte que la forme ne se rétablisse plus d'elle-même et qu'elle se déstabilise à chaque événement qu'elle vivra. C'est ce que nous vous avons mentionné. Nous n'avons jamais dit que le reiki était une foutaise.

Je voyais des résultats quand même et je voulais des précisions.

Écoutez bien ceci. Vous pouvez avoir un résultat sur une personne que vous traiterez; vous verrez le résultat et la personne ressentira le résultat. Mais pour combien de temps ? Jusqu'à ce que ses propres énergies combattent le déséquilibre. Il faut bien que vous compreniez qu'il y a des raisons qui expliquent ces déséquilibres, ces baisses d'énergie dans une forme. Il ne s'agit pas seulement de recréer le pont, le lien; il ne s'agit pas seulement de redistribuer ses énergies ! Ne dites-vous pas : chassez le naturel et il reviendra encore plus rapidement ? C'est la même chose pour les énergies de vos formes; ce n'est pas un jeu. Vos formes tentent d'établir cela d'elles-mêmes. À vos naissances, vos mères n'établissent pas cela; vous l'avez déjà. Ce sont les expériences de vos vies quotidiennes, les nourritures que vous absorbez, les milieux de travail et tout ce que vous avez dans vos domiciles qui les modifient. Ce qui compte, c'est d'apprendre à reconnaître ce qui les modifie, sinon vous vous habituerez à recevoir sans cesse des traitements et à ne jamais reconnaître ce qui ne va pas. Dites-vous bien une chose : sur six milliards d'individus, il y en a au moins trois milliards qui peuvent montrer aux autres quoi faire. Donc, ce n'est pas demain que vous cesserez de travailler ! Mais ce ne sont pas les trois milliards qui savent le faire en conscience parce que, comme dans d'autres professions, il y en a qui le font dans le but de faire des sous, d'attirer des gens à eux, de créer des dépendances, de leur faire comprendre qu'ils sont mieux pour qu'ils reviennent lorsqu'ils seront moins bien. Voyez-vous, il y a plusieurs façons de voir ce problème et il y a plusieurs solutions que nous pouvons donner. Nous vous avons donné l'idéal. Tout ce qu'il y a « entre » peut nuire... *(Arc-en-ciel, III, 04-06-1994)*

Est-ce qu'avec le reiki, on peut attraper les maladies des autres personnes ?

Même chose ! Chez les gens qui ne savent pas utiliser cette technique, c'est ce qui se produit. C'est pourquoi nous vous avons dit au début de cette session d'apprendre à identifier l'empreinte de votre énergie vitale en premier, à reconnaître les distances auxquelles vous rayonnez, à déplacer la profondeur du champ magnétique qu'émettent vos formes de façon à ce qu'il n'atteigne pas les formes que vous allez aider. À ce moment-là, vous serez davantage protégés. Mais tant que vous entrerez votre champ magnétique en très bonne forme dans celui d'une autre qui ne l'est pas, vous allez attraper les malaises des autres et vous vous affaiblirez rapidement, même si vous voulez aider.

Comment fait-on pour apprendre cela ?

Vous apprenez vite ! Vous revenez immédiatement avec une question sur la façon d'éviter cela. C'est très bien comme question; cela nous évite de parler de pilules. Comment faire ? Très simple. Faites la même chose que vous feriez avec les gens que vous voulez aider. Avec vos mains ou en vous approchant d'un mur, c'est faisable. Ne le faites pas avec votre conscience, car cela pourrait vous jouer des tours. Tentez de percevoir les résistances, tentez de percevoir le champ vibratoire de votre forme. Dès que vous savez la largeur de ce rayonnement autour de vous, ramenez-le avec vos mains ou même face à un mur – cela peut se faire avec une surface plane aussi, peu importe ce que vous emploierez. Faites en sorte de refouler l'énergie devant vous vers l'arrière ou les côtés et condensez-la de façon à rapetisser votre champ magnétique. Vous abaisserez ainsi le taux vibratoire de vos formes et vous réduirez leur champ magnétique de telle sorte que vous ne serez pas dans le champ magnétique de l'autre personne. Même si l'autre personne venait à entrer dans le vôtre, elle ne réussirait pas à vous toucher, car vos formes seraient programmée pour cela. La même chose se passe dans les hôpitaux avec les infirmières et les médecins, sauf que vous travaillez à un niveau différent, à un niveau volontaire, et que vous ignorez un peu plus le taux d'énergie étant donné que vous y êtes plus directement rattachés dans ces techniques. Il faut bien recentrer votre énergie propre et la vérifier à nouveau de temps à autre pour être certains que le champ magnétique de vos formes ne dépasse pas la surface de la personne devant vous; ce sera très suffisant. Il faut comprendre que, dans toutes ces techniques, il faut donner, pas recevoir. Vous ne replacerez pas l'énergie de l'autre avec la vôtre, mais avec l'énergie même de la personne qui demande ces soins. En faisant cela, vous rétablissez son énergie, bien sûr, mais n'oubliez jamais d'être aussi à l'écoute du patient et de voir à quel point cette personne est ouverte. Si elle n'est pas prête actuellement, nous vous suggérons plutôt la psychologie, c'est-à-dire l'ouverture du conscient de cette personne par la parole, de façon à mieux cerner et à mieux discerner ce qui fait qu'elle se blesse d'elle-même, pour qu'elle le comprenne. Ce sera avec de la pratique que vous réussirez, étant donné que ce n'est pas ainsi que c'est enseigné actuellement. Toutes les techniques qui ressemblent à celle-ci ne sont que des variantes les unes des autres. Jusqu'à ce que quelqu'un puisse l'améliorer, ce sera comme cela. Ne vous découragez pas, c'est ainsi que vous bâtissez votre monde et que vous bâtissez vos propres vies, par des changements consécutifs et continuels. Ils sont tous valables, même les plus douloureux. *(L'envol, II, 11-04-1992)*

Quand on a appris à percevoir notre champ magnétique en se plaçant face à un mur, comme vous l'expliquiez tout à l'heure...

Le mur n'est qu'un guide. Tout dépendra des techniques que vous emploierez. Continuez.

On aura seulement à y penser pour le rétrécir une fois qu'on en connaîtra la sensation ?

Cela pourrait être vrai. Mais nous avons mentionné qu'il fallait aussi que la personne soit heureuse, qu'elle soit bien avec elle-même, qu'elle ait l'amour d'elle-même; sinon cela ne se fera pas. Pourquoi ? Le jour où vous ne serez pas en parfaite condition, que ferez-vous ? Votre pensée fera en sorte que votre forme triche un peu elle-même, juste pour se punir, et vous serez affectée. Nous avons dit dès le début de cette session que vous étiez tous passés maîtres dans l'art de vous punir. Si ce travail peut vous ouvrir, votre forme le fera, mais c'est la plupart du temps inconsciemment que cela se fera. Si nous vous demandions : « Qui se déteste au point de se faire mal immédiatement ? » La majorité répondrait : « Pas moi, je ne veux pas cela. » Il y a seulement 24 heures dans vos journées et vous y trouverez toujours une raison, une seule s'il le faut, pour vous punir. Ce n'est pas parce qu'une chose a été vécue il y a 24 heures qu'elle est oubliée... sauf que le conscient n'attend que le moment propice pour agir. Ne dites-vous pas avec justesse que vous récoltez ce que vous semez ? Les cultivateurs font cela. Cultivez vos vies ! *(L'envol, II, 11-04-1992)*

Vous dites de rétrécir notre champ d'énergie. Si on ne le perçoit pas, faut-il s'abstenir de faire un contact avec l'autre personne ?

Tout à fait. Sinon comment saurez-vous quelles sont vos possibilités ? Comment vous assurerez-vous que ce n'est pas votre propre énergie que vous redistribuez, que vous ne projetez pas le champ vibratoire de votre énergie ? Cela peut vous jouer de vilains tours. Sans le savoir, vous ne pouvez pas le faire. Remarquez bien qu'il faut une personne très équilibrée pour jouer avec les champs vibratoires, une personne qui est totalement heureuse dans sa vie. En d'autres termes, il faut une forme pouvant s'autoprotéger par conservation d'elle-même, par amour d'elle-même. C'est ce qui explique l'existence des mère Teresa; c'est ce qu'elles ont compris. Ce n'est pas en donnant des médailles après les avoir embrassées, mais en sachant d'elles-mêmes comment se protéger qu'elles peuvent aimer les autres. C'est en s'aimant qu'elles aiment les autres. *(L'envol, II, 11-04-1992)*

Quels moyens prendre pour se ressourcer, pour se protéger, pour ne pas perdre son énergie ?

Décidément, ce terme énergie est vraiment à la mode. Cette question est à la fois complète et ne veut rien dire. Puisque vous demandez comment faire pour vous protéger, vous admettez donc une faiblesse. Vous dites vouloir protéger vos énergies. La seule façon de les protéger, c'est d'admettre que vous en avez, c'est d'admettre que cela ne regarde pas les autres. Vous savez ce qui détruit vos énergies ? Nous ne parlons pas des personnes qui tentent de rétablir celles des autres, nous parlons au sens individuel. Entendez par le terme énergie la force vitale nécessaire au fonctionnement de votre forme et produite par le cerveau, la circulation sanguine, ainsi que par les frictions produites par les molécules de vos formes. Cela ne fait qu'un en fait et se rejoint au niveau énergétique. Vous savez, cela peut être détruit tellement facilement par vos pensées, surtout chez les gens plus sensibles qui ont besoin d'être protégés. Donc, ceux qui admettent une certaine faiblesse à être manipulés par les autres, à être dirigés par les autres, deviennent vulnérables. Dans un sens, cela veut dire que, si vous êtes vulnérables ou influençables et qu'une personne le sait fort bien, elle utilisera son savoir pour vous blesser, sachant très bien que vous continuerez de vous blesser vous-mêmes en vous en faisant pour rien ou pour un problème que vous croyez grave. Qu'est-ce que cela fait dans vos formes ? Votre cerveau déduit que c'est vrai, s'en veut et punit la forme sous différentes façettes; en cela, vous êtes tous passés maîtres. Vous ne le savez pas, mais c'est très rapide. Se protéger veut dire être vraiment conscient de ses valeurs et être conscient que votre vie n'est pas celle des autres mais la vôtre. Cela signifie s'aimer. Rien ne peut affecter une personne qui s'aime. Aucune forme extérieure ne peut altérer l'énergie vitale d'une forme qui s'accepte. Rien, même pas le sida. Le premier remède, le plus dispendieux à se procurer pour plusieurs, c'est le sourire. Plusieurs l'ont oublié. Au début de cette session, nous avons parlé du souffle de votre mère; lorsqu'elle embrassait l'endroit qui vous faisait le plus mal, vous n'aviez plus de douleur. Il fallait avoir confiance, il fallait avoir beaucoup d'amour pour oublier le mal par un simple baiser ou un simple souffle, n'est-ce pas ? Et cependant, c'est toujours une réalité pour chacun d'entre vous, pour peu que vous le vouliez, bien sûr. Mais vous travaillez tellement fort pour ignorer cela ! Retrouvez vos valeurs, vos vraies valeurs; elles sont beaucoup plus simples que vous pouvez l'imaginer. Vous pouvez prendre un miroir et vous regarder. Posez-vous des questions, pas des pourquoi. Est-ce que je suis bien ? Que puis-je faire pour être mieux encore ? Vous pouvez en poser d'autres, mais la première devrait être : que pourrais-je faire maintenant pour être encore mieux avec moi-même ? Vous n'avez pas de réponse ? Reposez-la deux fois, trois fois. Vous en aurez une. Reposez une autre question. Vous verrez, cela change vos vies. Comprendre à la fois la vraie réalité de vos formes et leur vrai pouvoir, comprendre que le pouvoir de la pensée est parallèle au pouvoir de vos formes ainsi qu'à leur état, vouloir être bien en premier et vraiment le vouloir, c'est cela la médecine douce. C'est cette médecine douce qui vous convient, pas celle qui vous exploite mais plus doucement. Nous ne disons pas que ceux qui travaillent dans ces milieux ne sont pas honnêtes, mais ils ne comprennent pas toujours la portée de leurs mouvements, de leurs gestes, de leurs mots; et cela devra changer aussi sinon dans trois, quatre, cinq ans, le nombre de ces techniques doublera. En fait, il pourrait y avoir cinq milliards de techniques, une par personne, et elles seraient toutes valables. Dites-vous bien que ces techniques ont été développées par des gens qui les ont expérimentées sur eux-mêmes en premier. Donc, vous pouvez le faire par vous-mêmes, sans même avoir les connaissances nécessaires, juste avec l'acceptation, juste avec quelques notions de base. Vous voulez une preuve ? Nous allons vous en donner une facile à vérifier. Que chacun d'entre vous se remémore des événements qui l'ont rendu triste, et votre forme répondra immédiatement. Que chacun retrouve dans sa tête des événements qui l'ont rendu très heureux, et votre forme les revivra. C'est donc que vous avez toujours cela en vous. Vous voulez être déséquilibrés ? Ajustez-vous aux fréquences du malheur et vous en trouverez toujours devant vous; vous trouverez toujours quelqu'un pour vous donner une croix, la sienne. Mieux vaut comprendre cela. *(L'envol, II, 11-04-1992)*

Est-ce qu'il y a une énergie nouvelle en ce moment sur la Terre ? Certains appellent cela l'énergie des 11-11,

comme quoi la Terre vibre à un autre niveau et de façon positive.

Nous avons mentionné plus tôt dans cette session ce qui cause ce changement de vibration. Il est normal, si votre monde vibre différemment, que comme êtres humains vous vibriez aussi différemment parce que vous n'êtes pas différents de ce qui vit; vous en faites partie. Cette accélération actuelle au niveau vibratoire, vous la vivez à tous les niveaux, au niveau des cellules de vos formes, au niveau du conscient, et même au niveau de vos nourritures, comme nous vous l'avons dit.

Une énergie nouvelle sur la Terre... Une énergie positive, non pas destructrice.

Le positif, ce sera en chacun de vous, pas encore dans l'ensemble. Mais c'est un choix individuel que de voir cela positif. Quant à savoir s'il y a actuellement un phénomène quelconque qui pourrait être classé comme étant positif pour tous ?

Non, pas encore.

Est-ce que vous entendez parler du mouvement des 11–11 ?

Nous savons ce que cela signifie, mais cela n'a pas de pouvoir. C'est de l'utopie; ce n'est pas encore une réalité.

Mais qu'est-ce que c'est ?

C'est un ensemble qui ferait en sorte que tout ce qui vit finirait par s'harmoniser par des pouvoirs parfois extérieurs qui auraient suffisamment de force pour rechanger vos façons de vivre actuelles, pour vous encourager à vivre plus – que vous appeliez cela de l'énergie positive ou autrement, peu importe le terme –, ce qui serait un plus pour vos sociétés à l'échelle mondiale. On est loin de cela actuellement, mais c'est en changement. *(L'envol, IV, 30-05-1992)*

Tentez plutôt de vous percevoir réellement, de chercher en vous d'où vient cette énergie qui vous habite constamment. Nous travaillerons avec vous afin que vous puissiez percevoir davantage, non seulement percevoir ce que nous sommes, mais pouvoir comparer avec votre énergie intérieure pour retrouver cette réalité qu'il y a en chacun de vous.

Oasis

La collection Oasis

Entretiens avec Oasis, tome I
Channelés par JRobert
720 pages, avec index détaillé et cumulatif des sujets et des noms propres
ISBN 2-921416-05-0
1994

- Ce que sont les Cellules, les Entités, les Âmes et les formes
- But de l'intervention actuelle des Cellules sur la Terre
- Cycle des réincarnations
- Comment prendre soin de nos formes
- Naissance, vie, respect de soi
- Vieillesse, maladie et mort
- Faux espaces entre la matière

Entretiens avec Oasis, tome II
Channelés par JRobert
732 pages, avec index détaillé et cumulatif des sujets et des noms propres
ISBN 2-921416-09-3
1995

- Ensemble qu'on appelle Dieu, et religions
- Notre planète
- Âme comme raison de vivre
- Influences, énergies, peurs
- Comment contacter notre Âme à travers les rêves, l'intuition, la méditation et l'amour de soi
- Liens entre les faux espaces

Entretiens avec Oasis, tome III
Channelés par JRobert
732 pages, avec index détaillé et cumulatif des sujets et des noms propres
ISBN 2-921416-11-5
1996

- Rapports entre les humains, sociétés, période actuelle d'évolution de la planète
- Sens de la souffrance, pardon
- Affirmation de soi
- Définir son bonheur et faire ses choix
- Lâcher prise et vivre ses changements
- Amour et sexualité
- Pensées, émotions et états d'être
- Réalité de nos vies, Âme comme valeur vraie

Entretiens avec Oasis, tome IV
Channelés par JRobert
732 pages, avec index détaillé et cumulatif des sujets et des noms propres
ISBN 2-921416-16-6
1998

- Univers, origine des humains et mondes extérieurs
- Famille, enfantement, éducation des enfants
- Originalité
- Rôle de la famille et du couple
- Union de l'Âme et de la forme, fusion, continuité de la vie après la mort physique

Pour l'ensemble de nos activités d'édition,
nous reconnaissons avoir reçu l'aide financière
du gouvernement du Canada par l'entremise du
Programme d'Aide au Développement de
l'Industrie de l'Édition (PADIÉ)
et de la Société de Développement des Entreprises
Culturelles du Québec (SODEC) dans le cadre du
Programme d'aide aux entreprises du livre
et à l'édition spécialisée.

IMPRIMÉ AU CANADA